W9-BAC-831

El matrimonio,
un camino para dos

Desarrollando el arte
de vivir en pareja

El matrimonio, un camino para dos

Desarrollando el arte de vivir en pareja

Josep Araguàs

Prólogo por Víctor Mirón y Cesca Planagumà

ΛNDΛMIO

El matrimonio, un camino para dos.
Desarrollando el arte de vivir en pareja.
Josep Araguás

Publicaciones Andamio
Alts Forns nº 68, Sót. 1º
08038 Barcelona
T. 93 432 25 23
editorial@publicacionesandamio.com
www.publicacionesandamio.com

Publicaciones Andamio es la sección editorial de los Grupos
Bíblicos Universitarios de España (G.B.U.)

Diseño de colección: Coated Studio
Foto de portada: Stock Photo

Depósito Legal: B-36816-2009
ISBN: 978-84-92836-59-8
Printed in Spain
Printed by Publidisa

© Publicaciones Andamio 2009
1ª Edición Septiembre 2009

ÍNDICE

"A Raquel,
a qui vaig descobrir
quan els meus ulls van desvetllar-se
per la crida de l'amor". (*)

Nuestros ojos se abren en cada despertar, para descubrir, como primera imagen, a la persona que un día nos sorprendió, y que nos puede seguir sorprendiendo con cada nuevo amanecer.

"Abrir los ojos" es un movimiento que ejecutamos de forma involuntaria, casi imperceptible a nuestra conciencia, en cada nuevo despertar. Movimiento que nos traslada del reino de los sueños y del inconsciente, apareciendo junto a la persona amada.

Allí está la persona, yaciendo a nuestro lado. Dispuesta a empezar con nosotros un nuevo día, y a seguir caminando juntos hasta el final de la existencia.

Arenys de Mar, 2008

(*) "A Raquel,
a quien descubrí
cuando mis ojos despertaron
por la llamada del amor".

Quiero expresar mi agradecimiento a Francisco Mira, psicólogo y director de Publicaciones Andamio, quien fue la primera persona que creyó en el presente proyecto e insistió con determinación en que escribiera este libro, dándome su apoyo. Gracias por la valoración tan positiva de mi trabajo profesional realizado con matrimonios.

Gracias a Joaquín Hernández, mi enlace editorial, quien, con su amabilidad, entendió siempre mis demoras, me animó cuando era necesario y recomendó la cocción del texto *"a fuego lento"*.

Agradecer a Victor Mirón y Cesca Planagumà, directores del programa "De Familia a Familia" y, sobre todo, amantes del matrimonio. Compañeros de viaje en la preparación de seminarios y conferencias dedicados a la orientación y enriquecimiento del matrimonio. Para mí, ellos siempre han sido un modelo vivo de lo que significa ser y estar en el matrimonio. Gracias por haber aceptado, de forma amistosa, escribir el prefacio de este libro.

Gracias a todos los buenos amigos que rodean mi vida, y para quienes la redacción del libro ha supuesto vernos y relacionarnos menos en los últimos tiempos. Amistades de quienes incondicionalmente siempre he recibido estímulo y ánimo para llegar hasta el final.

Y por último, de forma muy sentida, gracias a mis cuatro hijos: Tamar, Irene, Isaac y Anna. Sé que el libro les *"ha robado"* momentos de conversación y de diversión conmigo. Siempre han renunciado a ese tiempo con suma comprensión y un gran afecto.

Prólogo
Víctor Mirón y Cesca Planagumà
(Directores de "De Familia a Familia")

Dicen que el amor es ciego, pero que el matrimonio es una iluminación. Muchos van con los ojos medio cerrados a la relación matrimonial, y luego se les abren de par en par. Es mejor tenerlos abiertos antes y luego medio cerrados.

Estamos frente a una obra que traerá, a tiempo, mucha luz y conocimiento, tan necesarios como urgentes, a los matrimonios de nuestro entorno.

En esta obra, Josep Araguàs nos presenta aspectos muy reales sobre la vida matrimonial y sus dinámicas, con el deseo de que la relación más importante entre un hombre y una mujer sea todo lo feliz que pueda llegar a ser, y para que no se encuentren con sorpresas desagradables ni inesperadas.

Hoy en día, hay demasiadas parejas y matrimonios que van a la relación matrimonial con unas expectativas totalmente irreales, producto de sus ilusiones, sus fantasías y las modas imperantes, y así, no es de extrañar el nivel tan elevado de rupturas matrimoniales que actualmente se dan, que salpican y dañan a tanta gente.

El matrimonio es un camino largo, complejo y siempre desafiante, que los que lo quieran andar, lo han de transitar juntos como equipo, con recursos prácticos y herramientas relevantes que les ayuden a llegar bien a destino, y felices.

Desde esta óptica y para este fin, escribe, habla y piensa Josep Araguàs. El autor es un hombre dialogante, que mide bien sus palabras, que expresa sus pensamientos fluidamente. Este rigor también lo ha hecho patente en la presente obra. Leer su libro es como estar sentado en su consulta, o en el sofá de su casa con una taza de café en la mano, y hablar de temas importantes, serenamente, abiertamente, sin prisas. Te sientes escuchado, entendido y apreciado.

Una de las ventajas de Josep Araguàs, que creo fundamental para el lector de este libro, es que escribe desde un contexto español, con situaciones, ejemplos y respuestas a situaciones de aquí, que no son traducidas ni adaptadas, lo cual le da una fuerza, una credibilidad y verosimilitud añadidas. Aspectos fundamentales para el lector del mundo hispano, para su mejor comprensión, asimilación y aplicabilidad. Combina magistralmente su saber, su preparación de años de consejería, de terapia y de enseñanza, con su profunda, y en algunos momentos dolorosa, experiencia propia.

En esta obra, el autor afronta los temas clásicos, básicos y fundamentales del matrimonio, como la comunicación, la formación de la pareja, la sexualidad, la lucha por el poder, los típicos conflictos, pero aún añade más. Valientemente, se adentra en temas hasta ahora muy escabrosos y poco explorados, que en nuestros medios cristianos, si no se eluden, sí se tocan de pasada, como el divorcio, las familias reconstruidas, la violencia y los maltratos familiares. Aspectos que alarmantemente también se dan en nuestros ambientes. Araguàs se acerca a estos temas tan complejos con sencillez, y con claridad. El capítulo de la viudez tiene mención aparte; con dulzura, con nostalgia, con realismo y con esperanza, afronta esta situación desde su propia experiencia.

Estamos ante un libro que está llamado a ser referente para los matrimonios de nuestro país, a ser libro de cabecera en muchos hogares, manual de preparación para los que quieran formar familia y libro de estudio para encuentros matrimoniales, conferencias y seminarios.

El autor escribe desde una óptica actual, pero con un fundamento maduro, muy bien desarrollado y equilibrado, y con convicciones cristianas profundamente enraizadas. Es un hombre sereno y reflexivo, y a esto nos invita al leer esta su "opera prima".

Estamos delante de una presentación amplia, serena, equilibrada y certera de lo que debe ser y aspirar todo matrimonio para poder formar y desarrollar una familia sana y sólida.

Con alegría, con gratitud y con esperanza, saludamos esta obra, recomendando su lectura y meditación personal, así como su discusión en grupos de hogares.

El matrimonio, un camino para dos. Desarrollando el arte de vivir en pareja

Introducción

"Entonces, el Señor Dios hizo caer sueño profundo sobre Adán
Y, mientras éste dormía,
tomó una de sus costillas y cerró la carne en su lugar.
Y de la costilla, que el Señor Dios tomó del hombre,
hizo una mujer y la trajo al hombre.
Dijo entonces Adán:
Esto es ahora hueso de mis huesos y carne de mi carne..".

Génesis 2:21-23

Con todo derecho, el lector se preguntará: *¿Por qué añadir otro libro más a la larga lista de títulos existentes sobre el matrimonio? ¿Hay alguna reflexión sobre el tema que no se haya hecho previamente? ¿Hay en este texto algo nuevo o muy relevante?*

Aparentemente, escribir acerca del matrimonio en la actualidad casi supone escribir sobre *"causas perdidas".* Todo apunta a que el matrimonio, de forma progresiva, está cayendo en descrédito, y que la ruptura de vínculos permanentes forma ya parte de la vida cotidiana. Socialmente, solucionamos el tema casi como si se tratara de una ecuación: si el matrimonio se rompe con tanta frecuencia, será porque el matrimonio es probablemente ya algo obsoleto.

Vivimos en un momento histórico, en el que la ruptura, y pasar de inmediato a iniciar una nueva relación resulta casi preferible a la labor de rehacer y restaurar anteriores vínculos que han dejado de funcionar. De alguna forma, se cree que el matrimonio forma parte del pasado, de lo antiguo; se habla del matrimonio como una forma de vincularse ya superada. Lo moderno es la experimentación, probar si somos compatibles, vivir juntos, pero sin ataduras legales, etc.

Pero, la razón de escribir este libro no es tanto el describir un bello fósil, perteneciente a una era anterior, como el presentar un proyecto de futuro. A mi parecer, el matrimonio no está en crisis, sino la forma de conceptuarlo y entenderlo. Forma que no es capaz de resistir los cambios psicológicos y sociales que se están produciendo en nuestros tiempos, y de ahí que sean muchas las personas que se abstienen de entrar en esa relación.

Hace ya tiempo, leí un artículo en la prensa inglesa que trataba sobre cómo recuperar la noción de matrimonio. De hecho, en Inglaterra, se ha creado una comisión en la Cámara del Gobierno para evaluar formas de prevenir la ruptura y disponer de fondos económicos para la orientación y la terapia de la pareja. Resulta bastante obvio que nuestra sociedad no puede seguir pagando tan alto precio por rupturas y divorcios, y la cultura del divorcio, como alternativa ante la disfunción de la pareja, parece estar llegando a su fin. Por razón de los divorcios, se colapsan los juzgados, se incrementa el gasto público y se multiplican los problemas emocionales entre la población actual y la futura.

El presente trabajo se estructura sobre un doble eje:

a. La esencia del matrimonio
b. La experiencia del matrimonio.

La esencia del matrimonio
Personalmente, estoy convencido de que el matrimonio posibilita la forma más profunda, compleja y fascinante de relación que un hombre y una mujer puedan llegar a tener en esta vida. El matrimonio constituye una escuela excepcional para aprender a amar en su sentido más amplio y profundo; y es el mejor manantial donde saciar nuestra sed existencial de intimidad. Ese "estar cerca de alguien" y, al mismo tiempo, "sentirse seguro" está en la esencia misma del matrimonio.

En realidad, ¿en qué consiste el sentido de la vida, sino en amar y ser amado? Pues, ¿se puede hablar de una vida satisfactoria sin conocer el amor? Como muy bien alguien dijo: "Lo importante en esta vida no es tanto los años que acumulamos, sino los años en que hemos amado". A lo que puede añadirse que el matrimonio ofrece un marco ideal para que estas vivencias no sean cosa de un momento, algo esporádico o temporal, sino relación a disfrutar en todo momento, y para siempre, como parte de nuestro ciclo vital.

A menudo, me gusta hablar del matrimonio como esa relación que mantenemos a diario con nuestro espejo. Nos levantamos, nos ponemos ante él y éste, al mismo tiempo, nos devuelve nuestra imagen. Este proceso nos permite hacer retoques, acicalarnos y rectificar nuestra imagen con la finalidad de causar una mejor impresión a nosotros mismos o a los demás.

Nuestro esposo/a es como ese espejo en el que nos vemos reflejados cada día y a lo largo de nuestra vida en común. De hecho, él/ella, como Adán y Eva en el texto citado al principio, es la primera imagen que enfocan nuestros ojos al abrirse y salir del sueño. La persona que nos ama nos devuelve una imagen de quién somos y de lo que necesita ser retocado, al tiempo que también nos reafirma en aquello que nos hace ser únicos. Para él/ella somos: especiales, esenciales y entrañables.

"El ser humano llega a ser consciente de su excepcional dignidad, tomando conciencia de su propia valía como tal ser humano, únicamente a través de su relación con los demás; y eso algo que hace de modo especial cuando otro ser humano manifiesta hacia su persona la actitud correspondiente a esa valía, esto es, el amor". [1]

Aunque escribo desde la fe cristiana, asumiendo como válidos los principios que contienen las Sagradas Escrituras en cuanto a la relación hombre-mujer, pretendo que el texto pueda ser leído sin gran dificultad por todos aquellos que, aun no profesando ninguna creencia específica, ven el matrimonio como un valor importante en la vida.

En la sociedad actual, formar un matrimonio demanda una cierta convicción; y hay que asumir con convicción y sentido de la responsabilidad lo que conlleva. El matrimonio bien entendido va más allá de una costumbre social, de unos sentimientos personales y de la canalización de un instinto básico de relación y supervivencia.

La experiencia del matrimonio

El texto que sigue quiere ser práctico y realista, algo con lo que la mayoría, si no todos, podamos sentirnos identificados. Con toda intención, quiero provocar al lector a que, a través de estas páginas, entre en la dinámica de la relación de pareja. Quiero que se vea reflejado, que se entienda mejor a sí

---

1 Buttiglione, R. *"La Persona y la Familia".* Ed. Palabra. Madrid, 1990, pág. 117.

mismo, y también que introduzca cambios en su vida; que las experiencias aquí vertidas sirvan para aclarar conceptos, afirmar actitudes, o rectificar posturas. Y todo ello teniendo como base mi trabajo con matrimonios y mi experiencia como terapeuta realizado a lo largo de más de veinte años. Años de trabajo que me han hecho ser *"testigo privilegiado"* de la vida y experiencias de muchos matrimonios con los que he compartido momentos muy intensos de lucha y sufrimiento, pero también de crecimiento y de logro. Son matrimonios a los que, sinceramente, he llegado a amar; personas a las que estoy profundamente agradecido por haberme permitido entrar en sus vidas, en su dinámica de pareja, y en su intimidad. He podido experimentar al trabajar con ellos: mis propias dudas, mis debilidades, y mis más profundos anhelos.

Me gustaría añadir en esta introducción que soy humilde y sinceramente consciente de que escribir acerca del matrimonio es tratar sobre un tema sumamente complejo tanto por su esencia, y sus muchas facetas, como por la dinámica que las parejas llegan a establecer. De hecho, siempre he defendido que cada matrimonio acaba por desarrollar *"su propia identidad"*; que es aquel conjunto de características y rasgos que permiten que cada matrimonio sea único, reconocible y, por lo tanto, distinto de los demás.

Un matrimonio es mucho más que la suma de dos partes o la conjunción de dos dinámicas individuales. Como analizaremos más adelante, también es mucho más que una dinámica del presente. La relación que se establece tiene que ver con el entorno social en que viva la pareja, el contexto familiar del que proceda y, por supuesto, con los valores que se asuman y se encarnen en esa relación.

Nada en el matrimonio es tal como pueda parecer a primera vista.

Así, solemos preguntarnos con extrañada ingenuidad, pero sin ningún rigor:
"¿Qué hace este hombre tan pasivo con esta mujer tan activa? ¿Cómo no se dieron cuenta al conocerse?"
"¿Cómo pueden llevar tanto tiempo sin tener relaciones sexuales y sin que aparentemente les preocupe?"

"¿Cómo pueden vivir juntos sin hablarse?"

"¿Cómo logran vivir con tanta tensión, sin que nunca lleguen a explotar?"

"¿Cómo es que ha tenido lugar justo ahora esa infidelidad?"

Mi deseo es que el lector me permita ser aquí provocativo y determinista. Todo tiene su función en esa dinámica dual a la que llamamos matrimonio. Cualquier posible síntoma: depresión, ansiedad, obsesión etc.; cualquier conducta anómala: adicción al sexo, al alcohol, a la comida, etc.; o cualquier disfunción relacional: temas de sexualidad, de comunicación, de violencia, etc., aunque sean trastornos que se den de forma individual en una de las partes, no van a poder entenderse si no es viendo lo que provocan en la propia pareja y el valor que tengan dentro de su relación.

Cuando no encontramos esa función, no es que no exista; sencillamente, es que no hemos sabido captarla. La pareja puede muy bien fabricar cortinas de humo a su alrededor que camuflen una dinámica que puede que les sea oculta incluso a ellos mismos. Y es entonces cuando hacen su aparición comentarios en la línea de: *"Siempre hace lo mismo", "nunca me da afecto", "todos los días llega tarde", "jamás tiene deseo sexual", "nunca me pide perdón".*

Ambos ejecutan pasos que han ensayado multitud de veces en la intimidad de su hogar y que interpretan ante nosotros de forma magistral para que sigamos su ritmo y así convencernos de lo bien que lo hacen. De esta forma, pretenden persuadirnos de *"que él es el culpable o que es ella la que siempre empieza la contienda"; "que ella es frígida o neurótica"* o *"que no tienen solución".*

Tan sólo al adentrarnos en el mundo de lo sutil y lo encubierto, y sobre todo, cuando busquemos ese omnipresente equilibrio que denominamos homeostasis, veremos entre la neblina y podremos ser de ayuda, incidiendo en la relación y provocando cambios en la misma.

Veamos entonces algunos ejemplos y aclaraciones al respecto:

- La comunicación en la pareja no siempre es abierta y directa; puede darse sin palabras o a través de terceras personas, e incluso mediatizada por múltiples actividades.

- Los conflictos no siempre se abordan de forma abierta, inmediata o constructiva; en muchos casos, los conflictos se encubren, se niegan, se "narcotizan", o se desplazan. Se aprende a convivir con ellos, y a controlar la tensión, de forma que casi nunca explotan y, si lo hacen es, para acto seguido y como por reflujo, retroceder.

- El compromiso existente no sólo se define por amor, como idealmente suele defenderse, sino por dependencia emocional, por miedo a la soledad, por los hijos o, a menudo, por puros intereses económicos, es decir, por dinero.

- Las luchas por el poder no siempre son manifiestas y no siempre es constatable una gran batalla. Pero lo que siempre va a darse es un vencedor exultante y un vencido anulado hasta el punto de no poder siquiera alzar la voz. Es entonces cuando se niega el afecto, la palabra, o la relación sexual.

A este respecto, asumo, asimismo, que las situaciones presentadas en las próximas páginas no son en absoluto exhaustivas, pues, tal como apuntábamos en su momento, es imposible abarcar la riqueza de los matices propios del matrimonio. Pero sí que aspiro, sin embargo, a hacer una pequeña aportación que pueda servir de reflexión, consuelo, esperanza y, quizás, también equilibrio y sanidad para las personas que lean el presente libro.

Evidentemente, cada uno de los capítulos contiene, en sí mismo, temas con suficiente contenido como para escribir multitud de libros al respecto y, de hecho, así ha sido en la literatura referente al matrimonio. Sin embargo, me ha parecido oportuno juntar en un mismo volumen, de forma compendiada, aquellos temas que, en el curso de mi trabajo con las parejas, han sido de mayor frecuencia y objeto de consulta, de análisis, y de terapia.

He eludido de forma intencionada hablar de los hijos en el presente libro, y ello por varias razones:

a) Un buen matrimonio, en términos de construcción, es el mejor fundamento para todas las posibles relaciones familiares.

b) Hablar de los hijos desvía muchas veces la atención, y suele acabar en la formación de triángulos de relación que en nada ayudan a afrontar el tema de pareja como tal.

c) Los hijos nunca son los responsables últimos de los problemas de un matrimonio ni tampoco constituyen la solución a dichos problemas.

Por todo esto, y por lo importante que son esos seres maravillosos a los que llamamos hijos, merece la pena dedicar un nuevo libro en el futuro para examinar la no menos compleja relación que establecemos con ellos.

Finalmente, ya sólo nos quedaría puntualizar que el presente texto trata muy poco el último ciclo del matrimonio: el acompañamiento en la etapa final.

En mi experiencia, pocos matrimonios buscan terapia en los últimos años del ciclo de la vida y, de buscarse, se pretende en realidad una *"terapia-milagro"*, con expectativas poco realistas, que una auténtica terapia abierta al cambio.

Lamentablemente, los patrones disfuncionales que se han perpetuado con los años son muy resistentes a las intervenciones terapéuticas. Lo cierto es que la terapia que se puede aplicar en estos casos tiene mucho sentido si va dirigida a minimizar el daño que la pareja se puede infligir mutuamente, a lograr además una aceptación realista de lo que ha sido su trayectoria hasta ese momento, o a evitar la proyección de conflictos sobre sus descendientes.

CAPÍTULO 1

Iniciar la gran aventura

"Mejores son dos que uno; porque tienen mejor paga
de su trabajo.
Porque si cayera, el uno levantará a su compañero;
pero ¡ay del solo! que cuando cayera, no habrá segundo
que lo levante.
También si dos durmieran juntos, se calentarán mutuamente;
mas ¿cómo se calentará uno solo?
Y si alguno prevaleciera contra uno, dos le resistirán;
y cordón de tres dobleces no se rompe pronto".

Eclesiastés 4:9-12

"El matrimonio siempre supone el triunfo de la esperanza
más que de la experiencia".

Samuel Johnson

A menudo, las personas que quieren formar un matrimonio viven con cierta ansiedad algunos temas. A mi parecer, estas preocupaciones tienen su lógica. Trabajando con parejas, éstas suelen plantearme cosas tales como:

- *"¿Cómo sé que no me voy a equivocar?"*
- *"¿Y si no estoy eligiendo a la persona correcta o idónea, y luego conozco a otras mejores?"*
- *"¿Y si la otra persona o yo nos cansamos de amar?"*
- *"¿Realmente, el amor dura siempre?"*

Siempre les cuento a las parejas de novios mi propia anécdota relativa al matrimonio. Les explico que si durante el noviazgo o, incluso, el mismo día de la boda, me hubiesen proyectado el vídeo que recogiera todas aquellas circunstancias que iba a tener que atravesar en mi matrimonio, sin duda, habría salido huyendo de la iglesia.

A pesar de todo, les confirmo:

• Que, en cierto sentido, probablemente, todos nos equivocamos en la elección, lo cual debería advertirnos de la importancia tanto de elegir como de mantener con firmeza nuestra decisión de amar.

- Que nunca les faltarán recursos para hacer frente a todas las situaciones difíciles, si es que de verdad los desean encontrar.

- Que no sólo se han de casar con "una buena persona", sino que han de intentar que sea con "la mejor persona" que jamás hayan conocido.

- Que el amor a veces decae y se agota, pero que han de saber encontrar los recursos para renovarlo y hacerlo crecer hasta el infinito.

El tiempo que trascurre desde el cortejo hasta la boda, denominado noviazgo, resulta ser un tiempo valioso y esencial para que ambas personas aprendan a conocerse y vean si son capaces de iniciar, vivir y acabar juntos una de las mayores aventuras de la vida.

Sé que resulta lapidario lo que voy a decir, pero es rigurosamente veraz que la mejor ruptura siempre es aquella que ocurre de forma previa al matrimonio. El matrimonio es, sin duda, una experiencia beneficiosa, transformadora y maravillosa; pero todo ello va en paralelo a su misma complejidad. El matrimonio es para personas maduras; de hecho, es la única relación familiar que podemos elegir. Ello implica riesgo, pero también privilegio y responsabilidad. Existe una libre selección en la elección de la pareja y hay una libre decisión en el mantenimiento de la misma.

Es un hecho paradójico que formar pareja coincide con el ciclo de la intimidad conocido como *"expansión"*. Digo esto porque, durante este ciclo, no se trabaja de forma crítica ni con uno mismo ni con los demás; se proyecta en la relación todo aquello de lo que carecemos, y si hay aspectos negativos los relativizamos o los obviamos. *"El amor es ciego"*, nos recuerda el refranero en referencia a esa fase. Es por todo ello por lo que, durante el noviazgo, es de personas sabias dejarse aconsejar respecto a esa relación, sobre todo por parte de aquellos que nos conocen y desean nuestro bien.

No obstante, me gusta referirme al noviazgo como "el embrión"; aquel proyecto de criatura que luego será el matrimonio. De la misma forma que en el embrión está determinado todo el genoma del futuro ser, en el noviazgo, si es realista, aparecen todas las claves del futuro matrimonio. Y dado que el matrimonio es la relación más compleja de todas las que podamos formar a lo largo de nuestra vida, es algo vital conocerse durante este período de noviazgo y ver si nuestra personalidad y nuestra visión de la vida encajan con las de la otra persona.

Recuerdo con preocupación aquella joven que vino a verme poco antes de casarse. En su historia, se daban varios factores de riesgo que hacían presuponer que su inminente matrimonio podría resultar explosivo:

"Me han dicho que tengo que venir al psicólogo...
No espero ayuda, tan sólo desahogarme.
Tengo una pésima relación con mi padre, aunque quiero que sea él quien me lleve del brazo a la iglesia, el día de mi boda.
Nunca en mi vida me he sentido querida por nadie.
Hace algún tiempo que he conocido a un muchacho maravilloso: no trabaja, ni lleva una vida organizada, pero nos amamos tanto...
De momento, no tenemos vivienda, pero sé que algún lugar saldrá para estar juntos.
Durante nuestro corto noviazgo, no hemos dejado de pelearnos, pero al final siempre vemos que nos necesitamos el uno al otro.

De forma muy irónica, el terapeuta familiar J. Haley expresa:
"Hay dos maneras de iniciar el enlace con el propósito de que el sufrimiento llegue a ser inevitable:
En primer lugar, casarse por razones equivocadas, y en segundo lugar, casarse con quien no debiéramos.
De esta forma, aseguramos que la infelicidad se agregue a la estructura del matrimonio desde el primer momento".[1]

La complejidad del matrimonio, con respecto a otras relaciones personales que llegamos a establecer en la vida, consiste en que, en el matrimonio, se comparte con la otra persona toda la existencia. Aprendemos a compartir el espacio físico, el tiempo, la economía, los amigos, las emociones más

---

1 Haley, J. "Las Tácticas de poder de Jesucristo". Ediciones Paidos. Barcelona, 1991. Pág.115

profundas, la vida sexual, etc. Además, a diferencia de otras relaciones, entendemos que debemos aprender, con respecto a los conflictos, a ser resolutivos, eficaces, humildes y a evitar la ruptura, aunque ésta sea temporal, ya que la desvinculación nos resulta desgarradora.

Alcanzar el objetivo de toda pareja: crecer

Siendo minimalistas, podríamos decir que la meta de todo matrimonio es el crecimiento. Me refiero tanto a un crecimiento intra-personal e individual como a un crecimiento interpersonal en pareja. Jesús enseñaba que hay que: *"tener vida y vida en abundancia"*. Es pues, un crecimiento que supondrá que las personas, tanto en su expresión individual como en pareja, en expresión dual, lleguen a desarrollar todo el potencial mental, emocional y espiritual que poseen.

Me gusta poner el ejemplo del agua. La unión de hidrógeno y oxígeno, en proporciones adecuadas, produce el compuesto más vital para el ser humano. Así es el buen matrimonio, aquel que, uniendo dos seres individuales, es capaz de producir vida e incluso irradiarla a su alrededor. Los fundamentos para este crecimiento, como los cimientos en la construcción de una casa, se establecen de forma previa al matrimonio en este período que denominamos noviazgo.

Con frecuencia, las personas llegan al matrimonio con patrones de comunicación insanos, con múltiples carencias afectivas, con conceptos erróneos sobre la sexualidad e, incluso, con muchas heridas. El matrimonio debe ser un ámbito de sanidad, de transformación, e incluso de potenciación.

El lugar:

- Donde las heridas son trasformadas en fuentes de sanidad y de inspiración para otros.

- Donde se erradican para siempre patrones negativos de comportamiento, disfuncionalidad que, en ocasiones, tienen su origen en generaciones anteriores (como puede ser el caso con el alcoholismo, los abusos, la violencia, etc.).

• Donde la seguridad de ser amado, con toda intensidad y de manera incondicional, proporciona una base suficientemente sólida como para poder explorar distintas áreas de nuestra vida enriqueciéndolas.

Admito que el crecimiento no es fácil, pues el matrimonio siempre conlleva un proyecto bicultural. Así, aun procediendo de un mismo entorno cultural, lo cierto es que cada persona proviene de un contexto familiar y ambiental diferente. Ambos integrantes de la pareja han aprendido un lenguaje emocional distinto, con modelos de matrimonio y pautas de relación ya grabadas en su inconsciente, teniendo por ello expectativas dispares de lo que debe ser la vida de matrimonio.

Cuando la pareja crece adecuadamente, se da un modelo de "unidad" (ver fig. 1), en el que cada persona sigue manteniendo su individualidad, pero con nuevo "terreno común". La persona no se diluye en el matrimonio, y la relación que se ha creado sigue evolucionando con el paso del tiempo. Este terreno común será el que defina la futura "identidad" del matrimonio.

Ese modelo es, a mi parecer, el más sano, porque produce crecimiento tanto individual como de pareja, además de favorecer una co-igualdad esencial. Pero es un modelo imposible de alcanzar de no mediar una mínima capacidad para el diálogo y un talante flexible. Debe haber, pues, una co-igualdad en la comunicación, en las relaciones sexuales, en la toma de decisiones, en el uso del poder, etc. Lo cual viene a quedar bien ilustrado en el esquema:

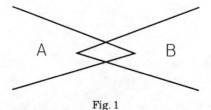

Fig. 1

En esencia, lo que ahí se reconoce es que la otra persona tiene la misma dignidad, la misma valía y los mismos derechos que uno mismo. Este tipo de relación produce crecimiento en ambos cónyuges y asimismo en su relación, pues se fomenta la cooperación y la complementariedad.

Cuando la pareja no crece, podrá ser por dos causas:

1. **"Asimilación"** (ver fig. 2): Se hace prevalecer una forma de comportarse por encima de la otra; una de las dinámicas se impone, con la consiguiente aparición del patrón "dominancia-sumisión". Es ese un modelo que tiende a favorecer los abusos y la dependencia emocional, aunque puede incluso que resulte cómodo en un principio, porque los roles están muy definidos. El diálogo no es ahí necesario y tampoco suele haber conflictos al inicio, ya que, aparentemente, todo está muy claro y bien prefijado. No obstante, con el paso del tiempo, dominador y persona dominada acaban por echar de menos la igualdad en correspondencia, el compañerismo, el respeto mutuo, etc.

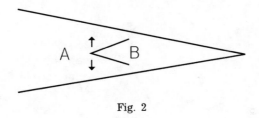

Fig. 2

2. **"Confrontación"** (ver fig. 3): Hay una desconfianza mutua. Se mantiene como más importante la individualidad que la vida en pareja. Y ya sea por desconfianza, por miedo a la intimidad, o por alguna posible patología psicológica, nunca hay una entrega mutua de forma estable, pues, de haberla, se produce tan sólo circunstancialmente y en relación a algunos temas. Lo cual hace que, aunque el tiempo vaya pasando, la imagen de cara al exterior es la de dos personas que comparten tiempo y espacio, pero no un proyecto común. Así, se evitan cuidadosamente todas aquellas conductas propias de la intimidad, no soportándose la cercanía física, emocional o sexual de la otra persona. Y se recurre al distanciamiento como

33

solución: dormir en camas separadas, regresar más tarde casa, ocupar innecesariamente el tiempo libre, evitar celebraciones conjuntas, 'escaparse' de casa, etc.

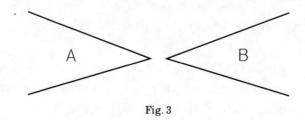

Fig. 3

Ingredientes esenciales en toda buena relación de amor

Podemos mencionar, como mínimo, tres ingredientes que se hallan presentes desde el principio mismo, siendo bueno que crezcan de forma equilibrada ya en el noviazgo y que lleguen a su plena expresión dentro de la vida matrimonial (ver fig. 4).

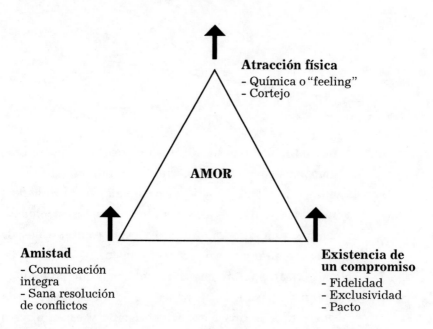

Fig. 4

a. La atracción física

"¿Quién es ésta que se muestra como el alba,
hermosa como la Luna,
esclarecida como el Sol,
imponente como ejércitos en orden?"

Cantar de los Cantares 6:10

La persona con la cual se inicia una relación de noviazgo ha de resultar físicamente atractiva y agradable en el trato, o si se prefiere usar otro lenguaje, tiene que darse ahí una conexión sexual. Debe producirse esa chispa que *"enciende"* el fuego que impulse a la pareja a asumir riesgos y evidenciar conductas propias del cortejo: lenguaje de complicidad, detalles múltiples, insinuación, brillo especial en los ojos y un deseo creciente de llegar a una unión física. Debe haber entre la pareja la sensación de que la persona que se tiene al lado refleja belleza y que esa belleza suya basta. Estar con alguien y seguir admirando, o deseando físicamente, a otra/s persona/s supone iniciar el camino que conduce a la infidelidad.

No hace falta decir que también es necesario buscar en la otra persona unos valores internos que, de hecho, son los que van a permanecer estables en la relación. Sin embargo, he sido con frecuencia testigo de cómo puede llegarse a menospreciar o subestimar la realidad de la atracción física como ingrediente esencial en toda relación de amor. Tampoco es buena la postura contraria, ya que avanzar de forma desproporcionada en cuanto a la intimidad sexual, le impedirá muchas veces a la pareja concentrarse en otros objetivos básicos de esa primera fase de la relación.

Con esto no quiero decir que la pareja no tenga que sentir atracción sexual. Es más, su ausencia quizás alertaría respecto a un problema grave en el plano de lo físico. Pero es justamente el poner los límites necesarios, el saber además esperar y ser consecuente con unos valores morales bien asumidos, lo que más revele acerca de la persona con la cual queremos compartir toda nuestra vida.

b. La existencia de un compromiso

"Yo soy de mi amado, y mi amado es mío".

Cantar de los Cantares 6:3

El compromiso existe desde el inicio. El compromiso lleva, en términos de pareja, a una exclusividad, a priorizar las relaciones y a una renuncia a conocer de forma íntima a otras personas.

Si continúan atrayéndonos otras personas, lo más probable es que la propia pareja no nos guste lo suficiente y no haya ahí un compromiso firme.

El desarrollo adecuado del compromiso culmina en el matrimonio. Más que cumplimentar un trámite legal, manifestar buenas intenciones y seguir un impulso emocional, el matrimonio implica el deseo de permanecer atados el uno al otro con la "cuerda del amor" hasta el final de la existencia.

El matrimonio cristiano es un reconocimiento de insuficiencia; somos conscientes de que nuestra voluntad más firme o nuestros sentimientos más nobles no son suficiente garantía de que vayamos a poder mantener el compromiso asumido y deseado. Por eso invocamos la presencia de Dios como testigo de nuestra unión y le pedimos a Él que nos enseñe a amar a nuestro cónyuge, de la misma forma en que somos amados por Él.

Así es como nuestro compromiso se transforma en un "pacto", en un compromiso fundamentado en la gracia y en el perdón que de Él provienen.

c. La amistad

"En todo tiempo ama el amigo,
y es como un hermano en tiempo de angustia".

Proverbios 17:17

Se debe aprender a cultivar una amistad tan profunda con la persona a la que se desea amar que, con el paso del tiempo, llegue en verdad a ser la principal y más preciada amistad de todas cuantas tenemos.

Gran parte de la vida del matrimonio se basa en la comunicación, e incluso el crecimiento en la sexualidad se basa en nuestra capacidad de comunicar nuestros deseos, fantasías y satisfacciones; en saber expresar lo que anhelo y manifestar lo que me disgusta, con qué disfruto y de qué carezco, qué me da seguridad y qué me aterra. Y todo eso es algo realmente fundamental. Tener amigos más íntimos y más sólidos que la propia pareja es, a mi forma de entender, algo inadecuado, y ello justamente debilita el vínculo de pareja y da lugar a la formación de triángulos.

La pareja está llamada a vivir de forma transparente: a revelar, y desvelar, pensamientos, sentimientos y experiencias sin miedo al menosprecio, al rechazo o a la manipulación. "Dos almas en un solo cuerpo", sentenciaba Aristóteles para referirse a la amistad. Es importante ahí seguir un proceso en el que la conversación cotidiana, cálida, espontánea y creativa, vaya evolucionando para dar lugar a un compartir conceptos y valores, a maneras de entender la vida, e incluso a susurrar temores junto con convicciones y esperanzas.

Todo ello va configurando y afianzando una relación en amistad que nos lleva a evocar aquel gran primer poema de admiración que todavía resuena en el libro de Génesis: "Ésta es ahora carne de mi carne y hueso de mis huesos".

Factores de riesgo a considerar en el noviazgo

Siempre hay riesgo en amar. Con esta afirmación, sólo pretendo contrarrestar la ingenuidad con que a veces nos lanzamos a navegar por los procelosos mares del amor. Cuando hablo de riesgo, no quiero decir imposibilidad, pero si la necesidad de asumir un esfuerzo extra en la ya difícil y compleja tarea del matrimonio.

Expongo a continuación algunas de las situaciones que conllevan riesgos potenciales y que deberán considerarse durante el noviazgo:

- Parejas con diferentes creencias y valores

Las creencias otorgan a la persona una forma de concebir la vida, de ordenar las prioridades y de entender las relaciones personales.

Es evidente que podemos "*disociar*" nuestra fe de nuestra conducta, vivir la fe sólo en determinados ámbitos o no hacerla relevante para algo tan importante como es la vida en pareja. Pero lo cierto es que la sintonía, la unidad y el entendimiento van a ser mucho más fáciles con personas que reconocen la soberanía de Dios en sus vidas y la autoridad de su Palabra respecto al matrimonio.

Aun así, y pese a ello, quiero advertir del riesgo que con tanta frecuencia he constatado en mi práctica profesional. Lo cierto es que el hecho de que dos personas pertenezcan a la misma confesión religiosa no es suficiente garantía de idoneidad para el matrimonio. Sobrevalorar las creencias por encima del sentido común o del amor, es a menudo muy arriesgado y significa "espiritualizar de forma mórbida".

- Parejas en las que uno de los dos padece algún trastorno mental, emocional o físico

Siempre he sostenido que el equilibrio emocional, total y constante a través del tiempo, no lo posee ningún ser humano. De hecho, pretender poseerlo ya es indicativo de una cierta patología. Dicho esto, sí es cierto que hay grados de patología que, aun estando estar perfectamente compensados a nivel individual, sí que pueden llegar a repercutir, de alguna forma, en la vida matrimonial.

Cuando se entra en una relación seria de pareja, resulta imprescindible hacer saber a la otra persona si se padeció algún trastorno en el pasado, si aún existe en el presente, especificar qué trastorno se padeció y cuáles pueden ser las consecuencias derivadas del mismo al vivir juntos como matrimonio. No es síntoma de desconfianza el solicitar la opinión profesional, según el trastorno de que se trate, para recibir una valoración objetiva y poder decidir así con plena libertad y responsabilidad.

- Parejas en las que uno de los dos padece algún tipo de adicción

No incluyo este tipo de adicciones dentro de los trastornos mentales o emocionales, aun cuando lo son, ya que la persona no suele considerarlo así y, habitualmente, suele ocultarlo durante años.

Una adicción siempre incidirá en la vida íntima del matrimonio; será como vivir continuamente con un intruso. Dependiendo de la adicción, ésta tendrá consecuencias diversas: de índole económica, física, emocional, sexual, etc. Y aquí estoy hablando de adicciones no del todo evidentes, o incluso "invisibles", como la adicción al sexo, al alcohol, a las drogas, al juego, o a Internet.

- Parejas con un alto grado de conflicto en el noviazgo

En las relaciones de pareja, discutir es normal. De hecho, hay que desconfiar de una pareja en la que el desencuentro, la disparidad de pareceres o los malentendidos no formen parte de su dinámica de noviazgo. Sin embargo, nada más sano y constructivo que solventar las discusiones y aprender de ellas, de forma tal que, en el proceso de restauración, podamos ver qué parte corresponde a cada uno, y tener la seguridad de que las causas de conflicto se han resuelto y que ya no supondrán motivo de enfrentamiento.

Vivir instalados en el conflicto de forma perpetua es disfuncional, como también lo es no llegar a acuerdos, o recurrir a la violencia física o psicológica. Gritar, amenazar, descalificar, insultar y, por supuesto, zarandear o empujar, son ejemplos de esas conductas negativas. Así como también es disfuncional dejarse de hablar, chantajear, tener celos patológicos, controlar, o someter a la otra persona a interrogatorios interminables.

- Parejas mayores de 35 años

Al llegar a esta edad, la persona suele tener patrones ya muy fijos de conducta y estilos de vida muy marcados. Se valora la autonomía y la independencia por encima de todo, y lo más probable es que se haya aprendido a desenvolverse en la vida con un cierto equilibrio, con pautas bien establecidas de trabajo, con ocio y aficiones bien definidas, pero no estar, en cambio, muy dispuestos a rendir cuentas. La ruptura, la vuelta a la autonomía y el hacer frente a la soledad no van a ser para esas personas escollos insalvables.

- Parejas menores de 20 años

Son personas que aún no han superado la etapa de la adolescencia. En esta situación, resulta difícil vivir en común, pues apenas si se ha construido la propia identidad. De forma inconsciente, son personas que se desmarcan de sus familias de origen, esto es, de las familias de las que provienen, sin haber resuelto temas vitales. Así, sucede a menudo que, cuando "crecen en su identidad", y se consolidan como personas individuales y como profesionales, sienten que no encajan ya en esa relación de pareja y la abandonan.

- Parejas que se casan debido a un embarazo inesperado

Son parejas unidas por un sentido de responsabilidad y obligación. En el mejor de los casos, el hijo ha hecho anticipar la unión pero, aun así, lo cierto es que no se habrán sentido del todo libres para hacerlo por propia voluntad.

La cuestión es que empezar a ser padres y esposos de forma simultánea conlleva tal complejidad y tensión que difícilmente van a trabajarse los temas esenciales que fundamentan una buena relación de pareja. Cuando el hijo esté ya un poco crecido, esos temas pendientes puede que reaparezcan dificultando la estabilidad de la pareja.

- Parejas que han convivido previamente en otras relaciones

Se trata de personas que han convivido previamente con una pareja, ya sea porque son personas divorciadas, viudas o, incluso, personas que han tenido parejas con largas convivencias. En este caso, el factor de riesgo será aún mayor si hay hijos de relaciones previas.

Aunque esto se tratará con más profundidad en capítulos particulares, quiero anticipar algunas pautas básicas:

- Es necesario dejar pasar un tiempo prudencial entre la anterior relación y la presente, que estimo, siendo optimista, en un mínimo de dos años. Dejar transcurrir menos tiempo es una temeridad y, en términos psicológicos, significa una sustitución. "Nunca se debe pretender llenar un vaso, sin haberlo vaciado antes del todo".

• Es imprescindible elaborar el proceso de duelo y cicatrizar por completo las heridas producidas por las pérdidas.

• En estas parejas, los hijos son parte de la relación del matrimonio antes del inicio. Algunos principios de comunicación, resolución de conflictos e intimidad que se aplican a matrimonios en primeras nupcias, no sirven aquí, porque hay ya un compromiso previo en el tiempo con los hijos en relación al nuevo esposo/a.

En estos casos, siempre recomiendo orientación psicológica o incluso terapia, aun cuando haya la sensación de que todo marcha a la perfección, porque, en el transcurso del tiempo, surgen dinámicas complejas que pueden dinamitar la relación de pareja.

- Parejas que se han iniciado de forma virtual
La tecnología posibilita formas de contactar, conocer e, incluso emparejarse con personas tanto cercanas como lejanas geográfica y culturalmente.

Tan sólo quiero subrayar aquí que, a pesar de toda la tecnología existente, la comunicación verbal, tan esencial en la pareja, suele ser deficitaria en estos casos.

• La tecnología permite transmitir mucha información, y de forma muy intensa y rápida, pero puede acabar provocando una falsa sensación de conocimiento. Además, tampoco hay convivencia física y los conflictos, junto con su forma de resolverlos, son pura "virtualidad". Desconecto y me conecto según deseo.

• El contexto inmediato, como son la familia, los amigos o el entorno cultural, suele quedar relegado a segundo término. Es

41

difícil suplir todo ello con los encuentros esporádicos típicos de estos casos, que suelen además estar condicionados por el poco tiempo y el deseo de presentar la mejor imagen posible.

Distorsiones con respecto al matrimonio

Son contadas las ocasiones en las que encontramos escritores, poetas o directores de cine que narren las excelencias del matrimonio; y suele ser, por el contrario, el caso que incluso, a nivel popular, el matrimonio suele ser de una forma u otra infravalorado y hasta desprestigiado.

Algunas de las distorsiones respecto al matrimonio que con mayor frecuencia se dan son:

- El enamoramiento es más importante que el amor
Vivimos en una sociedad que enfatiza de forma exagerada el enamoramiento, presentándolo como la experiencia más sublime de intimidad entre un hombre y una mujer. El enamoramiento tiene mucho de impulsivo, de subida de la adrenalina, de lo inmediato y lo espectacular. Siendo, como es, una experiencia maravillosa que impulsa nuestro yo hasta límites insospechados, resulta, sin embargo, insuficiente para sostener un matrimonio a lo largo de su existencia.

La sociedad actual cada vez valora menos el amor, sobre todo el valor del amor entendido como una decisión voluntaria, una actitud constante, un aprendizaje prolongado en el tiempo, una disposición generosa e incluso una aceptación de ciertas formas de sacrificio. En este contraste de conceptos, muchas veces se da una gran confusión, llegando a concluirse que, cuando se acaba el enamoramiento, también se ha acabado el amor.

Resulta imprescindible, pues, no confundir ambos conceptos. El enamoramiento es una experiencia universal y es de rigor experimentarla para poder madurar y poner en su sitio las emociones y los sentimientos. El amor, en cambio, no es para todos, sino sólo para aquellos que, de forma libre, madura y generosa, se trascienden a sí mismos y dedican energía y tiempo a potenciar a la persona amada.

El renombrado psiquiatra M. Scott Peck lo describe de forma muy clara y concreta:

"Enamorarse no es un acto de la voluntad, no es un acto consciente...
Y es tan probable que nos enamoremos de alguien incompatible, como
de una persona afín...
Enamorarse tiene que ver con la conducta de apareamiento... una
respuesta estereotipada a una configuración de pulsiones sexuales
internas y de estímulos sexuales externos". [2]

En el curso de los muchos años de profesión, me he acostumbrado a explicar la diferencia entre ambos conceptos en los términos propios de la preparación de un buen fuego; para encenderlo, es necesaria la chispa, esa llama inicial provocada por productos químicos; pero, para mantener el fuego, hace falta el calor de la brasa, esa combustión lenta de los leños, la cual es poco espectacular pero eficiente en cuanto a dar calidez.

- El amor lleva fecha de caducidad

Suelo explicar que vivimos bajo una "cosmovisión temporal" de la vida, donde todo lleva fecha de caducidad y, progresivamente, nos vamos imbuyendo de que nada va a permanecer para siempre. Se suele decir con ironía "que el amor es eterno hasta que se acaba".

En nuestra sociedad, los puestos de trabajo cada vez son más temporales e, incluso, conlleva más prestigio en el currículum haber pasado por diferentes empresas; los vehículos se cambian no por viejos, sino porque hay otros con mejores prestaciones, y las relaciones personales son cada vez más virtuales y superficiales. En medio de esta cosmovisión temporal, las uniones temporales y experimentales encajan mejor con el pensamiento global.

Sea de forma consciente o no, es una realidad innegable que muchas parejas afrontan el matrimonio ya de entrada teniendo en cuenta la caducidad del amor y la posibilidad de divorcio. Esto alivia la

---

2 Scott Peck, M. *"Un Camino sin Huellas"*. Emecé Editores. Barcelona, 1996, págs. 89-90.

tensión de pensar que pueden estar equivocándose en la elección. Tremenda resulta entonces la afirmación cristiana que *"el amor nunca deja de ser".* (1ª Corintios 13:8)

Se debe tener en cuenta, no obstante, el temor e inseguridad que provoca la temporalidad, así como la ansiedad producida al pensar que la persona en quien más llega a invertirse en esta vida puede abandonar la relación y dejarnos.

- Donde hay amor no hay conflicto

El noviazgo suele ser el período en el que han de establecerse las actitudes y posiciones sobre las que se asentará el futuro matrimonio.

"Quién, y cómo, inicia la comunicación".
"Cómo se cierran los conflictos y cómo se asume la responsabilidad".
"En base a qué se toman las decisiones: argumentación, presión emocional, etc"..

La pareja, durante el noviazgo, ha de acercarse a temas relacionados con el poder, tales como el uso del dinero, la forma de comunicarse o la atracción sexual, y, lejos de utilizarlos de forma individual o partidista, han de lograr entender que deben solucionar dichos temas mediante el diálogo, la flexibilidad y los acuerdos.

Obviamente, todo este proceso no está exento de conflictos; de hecho, es imposible realizarlo sin conflictos. La ausencia de conflicto suele resultar disfuncional, porque supone un gran distanciamiento entre la pareja o una falta de implicación real en el proceso de discusión.

- El amor es posesivo

Justamente por los argumentos antes mencionados: énfasis en el enamoramiento, temporalidad y los temores que de ello se derivan, está creciendo una nueva adicción: la "dependencia emocional".

La diferencia esencial entre amor y dependencia emocional consiste en la libertad. De forma libre, elegimos amar y, también de forma libre, escogemos permanecer en la relación. La persona dependiente

44

emocionalmente, en cambio, ha perdido el uso de su libertad. La libertad conlleva, asimismo, dignidad en la relación. Por lo tanto, toda conducta que supone humillación, control, culpa o violencia de cualquier clase, quiebra esta dignidad y sólo sirve para perpetuar una relación abusiva, que conviene romper lo antes posible. La persona a quien amo no es de mi propiedad, no es mi esclava ni mi sierva, sino la persona a quien beneficiar.

Concluyo observando que, dado el elevado número actual de rupturas matrimoniales, es altamente recomendable que las iglesias establezcan *"programas de orientación prematrimonial",* donde, de forma realista, se comparta con las parejas los temas básicos referentes al matrimonio, se desmitifiquen iconos existentes y se enfaticen valores permanentes. Con frecuencia, la pareja, durante este período previo al matrimonio, está más centrada en la celebración de la boda, la lista de invitados y la luna de miel, que en la dinámica en la que van a entrar.

La factura que las personas y las familias, junto con la sociedad, están pagando por esas rupturas es muy elevada, y es deber nuestro intentar por todos los medios a nuestro alcance que se reduzca. Es mi convicción que cada matrimonio, al inicio, es como un libro que va a contar con dos autores. Sin duda, pondremos en él aquel material que consideramos más relevante para ser después leído. Será entonces nuestro libro, lo cual supondrá todo un privilegio, pero también conllevará una responsabilidad. El índice marcará nuestro propósito y las fuentes que usemos como referencia irán dando forma a los capítulos que vayamos escribiendo.

CAPÍTULO 2

Estabilidad y cambio: el ciclo vital del matrimonio

"Sea bendito tu manantial,
y alégrate con la mujer de tu juventud,
como cierva amada y graciosa gacela;
sus caricias te satisfagan en todo tiempo,
y en su amor recréate siempre".

Proverbios 5:18-19

"Dos personas que deciden contraer matrimonio, entran en el ciclo matrimonial, que transcurrirá según unas fases predecibles. La pareja debe completar ciertas tareas en cada fase, si es que éstas han de ser superadas de forma satisfactoria". [1]

La inclusión del presente capítulo en el conjunto del libro tiene su razón de ser en dos objetivos que considero esenciales en el matrimonio: "estabilidad" y "crecimiento", y ello a través de los cambios sucesivos que van a irse produciendo en nuestro organismo, en nuestras emociones y en nuestra comprensión de la vida.

La referencia a la estabilidad tiene que ver con la esencia que une y nutre a la pareja que integra el matrimonio, y que permanece a lo largo de la vida. Hay ahí un deseo no sólo de iniciar juntos el ciclo, sino de vivirlo y completarlo. Sin embargo, y de forma simultánea, también es un objetivo el crecimiento en esa misma vida, enriqueciéndonos con aquellas experiencias que vamos integrando a lo largo de nuestra existencia en común.

Se trata de un crecimiento para cada una de las personas que integran la relación de pareja como, asimismo, de un crecimiento para la relación que en su día se estableció. Gracias a él, se constituirá una relación cada día más plena, hermosa, nutricia y también más terapéutica para ambos cónyuges, así como también para todas aquellas personas sobre las que el matrimonio tenga alguna influencia.

---

1 Nichols, W.C. *"Marital Therapy" (An Integrative Approach).* The Guilford Press. New York, 1988, pág.17.

Esa estabilidad y crecimiento se canalizará a través del deseo profundo de amar y de hacer que este amor siga creciendo sin límite, dando con ello pleno sentido a la relación. De ahí que planteemos el matrimonio, en el libro como un todo y, de forma más particular, en este capítulo, como una "relación dinámica", enmarcada en una constante transformación, en la que es imprescindible continuar trabajando, y ello en contraste con lo que sería una "relación estática" donde el énfasis recaería más en el hecho de encontrar simplemente a la persona idónea con quien casarse, para luego "instalarse" en esa relación de por vida.

De forma parecida al desarrollo individual, el matrimonio pasa por una serie de cambios propios de su misma evolución y que, en buena parte, resultan predecibles. Esto da lugar a lo que se denomina el "ciclo vital del matrimonio", proceso que englobaría su concepción, alumbramiento, afirmación y disolución.

Este ciclo vital se presentará en este capítulo de una forma genérica, reconociendo que, por supuesto, cada pareja es única y singular y, por lo tanto, desarrollará su propio ciclo. Algunas parejas se casarán tardíamente y tendrán hijos siendo ya adultos; otras, no tendrán hijos y, en algunos otros casos, debido al desamor, a la viudez o al divorcio, algunos matrimonios no recorrerán juntos el ciclo o bien lo reiniciarán con otras personas.

Todos los cambios en el matrimonio, incluso aquellos que eran previsibles, provocarán una cierta ansiedad y un necesario reajuste. Los matrimonios más vulnerables, los menos flexibles, o los que carezcan de perspectiva en relación al cambio, estarán más expuestos a sufrir un daño emocional y a experimentar una cierta desestabilización. Entre los cambios previsibles, o de transición, estarían, por ejemplo, el casamiento, el nacimiento de los hijos, la adolescencia de los mismos, la crisis de la mediana edad, autonomía y emancipación de los hijos, envejecimiento de los padres, menopausia, jubilación y muerte.

Por supuesto, mayor inquietud todavía provocarán aquellos cambios que, de forma inesperada, aparecerán en el curso del matrimonio: enfermedades, fallecimientos, crisis laborales, relaciones extramaritales, etc.

Un caso real: recibo primeramente en consulta a la esposa (alrededor de 50 años) que aduce para solicitar ayuda el sentirse deprimida:

"Me siento sola y sin ilusiones... Se me pasa por la cabeza la idea de morirme y desaparecer de una vez. Siempre me he visto ocupando el tercer puesto, justo después del trabajo y de las aficiones de mi marido. Ahora que los hijos han crecido, y se han independizado, aumenta todavía más mi sentido de soledad y tristeza".

En otra sesión, le conozco a él, un hombre de negocios –sabe cómo vender su imagen ante mí-, afable y encantador:

"Mi esposa me ha pedido que venga al psicólogo. Parece que usted quiere conocerme.
Créame que me he esforzado y sacrificado, para llegar donde estamos. Los hijos tienen estudios, tenemos una casa grande y disfrutamos de buenas vacaciones.
Me cuesta entender qué más desea mi esposa".

Al final de la sesión, añade:

"Venir durante una hora cada quince días para hablar con usted sobre mi matrimonio, está bien, pero me rompe los horarios. Aunque sea al mediodía; es que yo no almuerzo, ¿sabe usted?
Debe comprender que la terapia me crea un auténtico problema para mi profesión..."

Ésta sería una situación típica que se repite en aquellos matrimonios que se mantienen más por la inercia que por la idea de crecimiento.

Situaciones que suelen darse con respecto al ciclo matrimonial

Existen básicamente cuatro situaciones que suelen presentarse en terapia relacionada con el tema del ciclo matrimonial. Son situaciones que hacen que los matrimonios experimenten estrés transitorio o incluso disfunción crónica:

- En primer lugar, aquellas parejas que nunca han tenido una visión dinámica de la vida ni del matrimonio. Se caracterizan tanto por la rigidez y la falta de adaptabilidad, como por la comodidad y la pasividad. Son parejas que no entienden de cambios a través del tiempo, ni el esfuerzo necesario para llegar a ser mejores amantes. Es muy importante entonces transmitir cierta pedagogía en cuanto al matrimonio que le permita a la pareja asumirlo de forma realista.

- En segundo lugar estarían esas parejas que no son conscientes de la tensión provocada por la crisis que viven. Las crisis siempre conllevan una demanda de energía y un tiempo de adaptación a la misma. El hecho de no tenerlo en cuenta, o no ser realista con lo que sucede en la pareja, lleva a las personas a perder la perspectiva, a dramatizar la situación y a no generar recursos para salir adelante. Leer sobre el matrimonio, asistir a seminarios, o compartir con amigos, nos permite prepararnos y entender todo ese proceso emocional.

- En tercer lugar, tendríamos la pareja que, por falta de realismo o por ingenuidad, pretende abordar a destiempo temas que, en su momento, se obviaron o se les quitó importancia.

Muchas veces, debido a un ajetreado ritmo de vida, generalmente por un exceso de trabajo, no se han puesto fundamentos sólidos, no se han resuelto cuestiones de fondo, o se ha dejado que se fuera deteriorando la relación con los hijos. Pero es justamente por ese carácter dinámico de la vida, ya señalado, que algunos cosas son irrecuperables, y por completo irreversibles.

El matrimonio, como es obvio, no sólo está sujeto al paso del tiempo, sino a toda una serie de factores que inciden e interactúan con él. Será, pues, algo básico que el matrimonio afronte los problemas según vayan presentándose, pues, de no hacerse así, los temas sin resolver darán lugar a un bloqueo y a una disfunción en el crecimiento de la pareja.

- En cuarto lugar está el tema del crecimiento desigual en el matrimonio. En esas parejas, uno de los dos cónyuges, por distintas razones, habrá adquirido una visión dinámica del matrimonio, mientras que el otro, en cambio, habrá permanecido en una visión estática. Una situación así será siempre triste y frustrante para quien desea crecer, saldándose a menudo con una entrada en depresión y, en algunos casos, con una ruptura, legalizada o no, de la dinámica asumida en inicio en pareja, terminando cada uno con objetivos muy diferentes.

Visión del ciclo matrimonial

Con finalidades didácticas, suelo dividir el ciclo matrimonial en cuatro grandes etapas, siendo muy consciente de que cada etapa sería susceptible, a su vez, de ser dividida en varias subetapas (véase fig. 5)

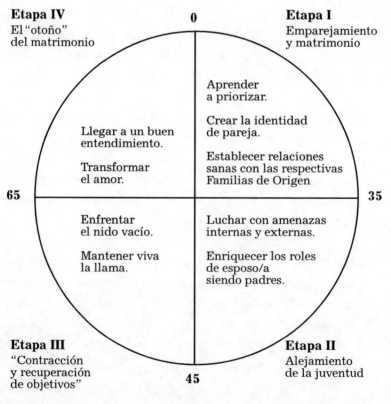

Fig. 5

Dentro de cada etapa, tendré en cuenta asimismo las variables en las que puede moverse el matrimonio.

Etapa I: Emparejamiento y matrimonio (hasta los 35 años)

- Desvincularse de las familias de origen (F.O.)

Desarrollar una "identidad de pareja" es imposible sin una desvinculación previa de las familias de origen. Desvincularse no significa una ruptura total, pero tampoco una continuidad absoluta con la situación de solteros. Con fina ironía, alguien observó que una de las grandes diferencias entre las parejas de animales y las humanas es que estas últimas cuentan con suegros.

La familia de origen, como detallaremos en un capítulo específico, es el núcleo de personas del cual procedemos. Es ese microcosmos de relaciones en el cual hemos aprendido a desarrollar nuestro ser, al tiempo que es el lugar donde se han producido los aprendizajes básicos: amar y ser amados, comunicarnos, resolver conflictos, tomar decisiones, etc. Y ha sido ahí también donde hemos llegado a interiorizar un modelo de pareja a partir del que hemos visto en nuestros padres.

Estos modelos quedan interiorizados y suelen repetirse, a menos que se produzca una reflexión sobre nuestro propio bagaje. Esta reflexión nos llevará a ver aspectos positivos y negativos y, de forma ideal, a llegar a un equilibrio. Yendo todo bien, suele tardarse unos cinco años en elaborar el proceso de desvinculación de nuestras Familias de Origen. Ha de entenderse, pues, que se trata de un proceso, más que de un hecho puntual. Es, además, un proceso de duelo para ambas partes, ya que los padres echan de menos a sus hijos y éstos, a su vez, a los padres.

Hay familias que facilitan este proceso y otras que lo dificultan y siguen interfiriendo en el naciente matrimonio. Esto sucede, por ejemplo, cuando a los respectivos padres no les va bien en su relación de pareja, esto es, hay una función alterada o 'disfunción', pudiendo ser por viudez, por divorcio, o incluso por la existencia latente de un complejo de Edipo.

Varios factores merecen ser tenidos en cuenta en ese proceso de desvinculación del nuevo matrimonio respecto a sus respectivas familias:

- Tener claras las prioridades: primero está la pareja, luego van los padres. No son exclusivas, pero sí que hay un nuevo orden.

- No tener deudas con las familias de origen (a no ser que sean puntuales).

- No organizar la vida o la economía en base a los padres.

- No utilizar a los padres como confidentes en los asuntos concernientes al ajuste en la pareja.

- Compaginación del trabajo con las tareas domésticas
Dada la situación económica actual, es prácticamente imposible vivir en matrimonio sin que las dos personas trabajen fuera de casa. El gran dilema es cómo hacerlo compatible. El matrimonio, como toda buena relación personal, requiere tiempo, y de calidad. Muchas veces esto supone todo un reto, pues, tras una dura jornada de trabajo, todos quedamos exhaustos, y hasta un poco desquiciados.

El nivel de endeudamiento (tanto material como psicológico y emocional) que hayamos asumimos al casarnos es factor importante. *"¿Qué implicará esa deuda?" "¿Qué precio habrá que pagar por ello?"* Ésas serán preguntas que siempre tendríamos que hacernos al hacer nuevas adquisiciones. Además, habrá que responder a esta pregunta calculando no sólo el precio, sino todo aquello a lo que tendremos que renunciar. En una sociedad de consumo como la nuestra, resulta imprescindible diferenciar constantemente entre lo necesario y lo accesorio.

También es muy importante tratar de tener trabajos con horarios que no resulten incompatibles y, además, resolver el tema de la realización personal y la autoestima en base a la realización conjunta dentro del matrimonio. Y, finalmente, es necesario hablar de las tareas domésticas, que nunca se tienen que distribuir con sentimientos de agravio, sino en complementariedad.

- Establecer fundamentos sólidos en cuanto a la comunicación, la resolución de conflictos y la sexualidad.
Definimos la comunicación como ese proceso en virtud del cual dos personas se relacionan. Esta relación puede ir desde los niveles más superficiales, o conversación estereotipada, hasta compartir los niveles más profundos, como son los sentimientos.

En esta etapa, es muy importante que la pareja, sin interferencias por parte de los hijos (de haberlos), aprenda a establecer cauces y hábitos de comunicación saludables. Al tiempo que también es importante aprender a gestionar la ira sin llegar al resentimiento, estableciendo pactos y logrando acuerdos con un talante flexible.

- Debe desarrollarse un sentido de cuidado mutuo, creando un marco adecuado donde evaluar cómo se están cumpliendo las expectativas por parte de cada miembro de la pareja.
Se tienen que implantar *"hábitos sanos"*, que luego se perpetuarán en posteriores etapas. Así, por ejemplo:

• Poner límites a la jornada laboral (intentando no llevar trabajo a casa).

• Compartir la comida sin la presencia de la televisión.

• Irse a dormir al mismo tiempo.

• Organizar el tiempo libre.

• Solucionar el posible conflicto entre autonomía e intimidad compartida.

Cuanto más profunda y satisfactoria sea la comunicación, más a gusto nos sentiremos en el matrimonio. Además, también será la forma más eficaz de luchar contra los conflictos.

Probablemente, lo más terapéutico que se puede decir en cuanto a los conflictos de pareja, en esta etapa de encajar mutuamente, es que son tan habituales como los días de lluvia, y que es inevitable mojarse de vez en cuando.

La sexualidad es intensa en esta fase pero, al mismo tiempo, la pareja suele carecer de los poderosos estímulos afrodisíacos que proporcionan el tiempo y el conocimiento profundo. Cada persona tiene un determinado aprendizaje en cuanto a la sexualidad. El órgano sexual más importante siempre es el cerebro, esto es, la mente. Lo que creemos, pensamos, hemos vivido y lo que sentimos en cuanto a la sexualidad, afectará a nuestras vivencias. Ya de novios, hemos experimentado la atracción sexual por la otra persona. Hemos aprendido a respetar a la pareja, a no tratarla como a un objeto, a enmarcarla dentro de una relación de amor e, incluso, a no utilizar el sexo como un instrumento de poder o de castigo.

Probablemente, hemos aprendido que la sexualidad y su disfrute depende de muchos factores: tener tiempo para estar preparados emocionalmente, conocer el cuerpo de la otra persona, ser sensibles, etc. Un mal inicio sexual en esta etapa no implica que la pareja siempre vaya a experimentar problemas en esta área; pero es necesario afrontarlos juntos y, si no mejoran, solicitar ayuda profesional, antes de que se conviertan en conflictos crónicos.

- Establecer una red social
Es importante que la pareja no se cierre en sí misma y descubra la bendición de ser hospitalarios, para incidir positivamente con su vida en la de otras personas. Cultivar la amistad y el apoyo mutuo es una inversión para el futuro, pues *"quien tiene un amigo, tiene un tesoro".*

Etapa II. Alejamiento de la juventud e inicio de la paternidad-maternidad (35-45 años)

- Afirmación del compromiso
La afirmación del compromiso no siempre es explícita e incluso me atrevería a decir que no siempre ocurre. Lo que sí es indudable, y he

visto confirmado en mi tarea profesional con matrimonios, es que en esta etapa suele tener que afrontarse dos clases de tensión:

- **"Amenazas internas"**: Descubrir que nos equivocamos en la elección de pareja, que el matrimonio no es lo que esperábamos, que debemos aprender a hacer frente a los momentos de rutina y aburrimiento, etc.

- **"Amenazas externas"**: Hay otras personas fuera de la relación, o vemos estilos distintos de vida, que nos parecen atractivos, y que nos plantean dudas o, como mínimo, pensamientos molestos.

Ante esto, habremos de resolver con realismo, y mediante diálogo, toda cuestión pendiente que, por otra parte, no hace sino introducirnos en la complejidad de la vida, recordándonos que toda relación de amor implica trabajar en ella.

- La crisis de la media vida

Respecto a la crisis de la media vida, digo lo mismo que en el punto anterior. *"¿Siempre ocurre? Pues mire, no sé, pero suele ser bastante frecuente"*.

Es ésta una etapa de la vida en la que se nos hace evidente que pocas son ya las probabilidades de alcanzar todo aquello que hayamos alcanzado ya. Dependiendo de cómo se encauce la crisis, podrá incluso provocar una angustia tan fuerte que nos aboque a adoptar resoluciones en extremo peligrosas. Puede ser, además, que no sólo nos hallemos en "el ecuador de nuestra vida", sino que probablemente habremos tocado ya nuestro "techo profesional". Y, por si eso fuera poco, en términos emocionales nos alejamos ya de la juventud y de todas sus posibilidades.

Lamentablemente, no es infrecuente en esta etapa dejar a la pareja y a la familia, al tiempo que se buscan personas más jóvenes con las cuales "intentar detener el paso del tiempo". Y todo ello acompañado de un cambio en la forma de vestir o de relacionarse.

- "Crear un espacio" para los hijos

Hacer "sitio" a los recién llegados, y ajustarse a la realidad de ser una nueva familia y no simplemente una pareja, no es fácil; y menos cuando las dos personas trabajan. Sin embargo, ahí está la riqueza del matrimonio, que no es algo limitado a dos, sino que puede dar lugar a una descendencia con la que dar continuidad a los sueños y al amor experimentado.

El matrimonio, acoplado ya quizás a roles de "esposo y esposa", debe ahora simultanear y desarrollar nuevos papeles conjuntos como "padre y madre". Mantener la unidad y la esencia de la pareja no es tarea fácil al principio.

Es un hecho incuestionable que los hijos distancian en cierto modo a la pareja. Por una parte, la esposa-madre entra en un vínculo muy especial con el hijo ya desde su misma concepción. Por la otra, si bien la mujer posee cierto instinto maternal –que cuenta con una base biológica hormonal-, no es así en el hombre, teniendo que aprender a ser padre por puro amor y sin ayuda alguna del instinto.

A este respecto, decir por último que los cuidados y atenciones debidas a los recién nacidos durante el primer año interfieren en el nivel de energía, en el proceso de comunicación y en la sexualidad de la pareja. Habitualmente, se dejan de hacer algunas cosas como pareja, y se renuncia a buena parte del tiempo libre en favor de los hijos. No obstante, se espera, y es posible, en esta etapa que la pareja se conozca mejor y alcance niveles más profundos en su comunicación.

- Cambios en la familia

Los hijos posibilitan una nueva relación de vuelta con respecto a las Familias de Origen. Se ha pasado a un tipo de familia extensa, y si había conflictos no resueltos con la Familia de Origen, ahora quedarán involucrados los nuevos miembros de la familia.

Es muy posible que en esta etapa se produzcan enfermedades o incluso fallecimientos de los abuelos, que marcarán la vida de uno o ambos integrantes de la pareja. Se tendrán que asumir funciones de cuidado o apoyo emocional, o incluso la elaboración del proceso de duelo por esa pérdida.

Etapa III. Contracción y recuperación de objetivos (45-65 años)

- El síndrome del nido vacío

Cuando los hijos abandonan finalmente el hogar, se tendrá que afrontar la crisis denominada *"síndrome del nido vacío"*, lo que lleva a las parejas a preguntarse: *"¿y ahora qué hacemos solos?"*

A aquellos hijos que vinieron a nuestra vida, que criamos con todo cuidado y esmero, y que luego tantos sobresaltos nos dieron en su adolescencia, les ha llegado ahora su momento de autonomía, ya sea por independencia o porque deciden formar sus propias familias.

Suele ser una crisis que sufre la mujer de forma directa y el esposo de forma indirecta por tener que animar a su esposa. Siempre hay un hijo especial, quizás el último hijo en marchar, o aún peor, aquel hijo que *"apoyaba en triángulo emocional"* al matrimonio.

La mujer lo siente mucho más en el caso de que se haya dedicado a ejercer de madre con exclusividad, y también porque en esta etapa tendrá que afrontar la menopausia, con todos los cambios físicos y psicológicos que comporta.

Existe la posibilidad de que el matrimonio entre en mayor conflicto o bien que, por el contrario, experimente mayor satisfacción.

- Mantener viva la llama

Es muy necesario que ambos cónyuges estén en contacto con su potencial emocional e intelectual; que se brinde apoyo de forma mutua en los intentos de encontrar significado, satisfacción y productividad.

Las parejas que marcan la diferencia son aquellas capaces de mantener vivo el interés intelectual, emocional y en la vida en general. Así, por ejemplo, la disminución del impulso o la respuesta sexual no implica la total desaparición de la vida sexual.

Se debe desarrollar paciencia ante la crisis y lo ideal sería haberse preparado para ello con antelación, haciendo frente como pareja los miedos asociados a la falta de productividad y a la pérdida de significado.

En una sociedad como la nuestra, es muy difícil no asociar auto-estima con trabajo (y más, si se trata de una profesión vocacional). Además, el trabajo nutre a la persona con ingredientes muy positivos: gestión disciplinada del tiempo, mantenimiento de una actividad intelectual, relaciones sociales, sentimiento personal de valía, etc.

La jubilación, por su parte, suele afectar más al hombre que a la mujer, ya que parece que ésta parece tener más recursos para hacerle frente. Se tendrán, pues, que buscar formas de compensar estas pérdidas y seguir encontrando un significado profundo más allá del trabajo o de la paternidad /maternidad.

- Cambios familiares
La familia se amplía por la inclusión de hijos políticos y nietos, de forma que se convierte en una familia de triple generación.

Es como si el reloj biológico hubiera girado al revés, y nos viéramos de nuevo en peligro de formar nuevos triángulos afectivos con nuestros hijos, esto es, alianzas de dos excluyendo al otro (siendo varias las posibilidades) en lugar de seguir cultivando la relación de pareja.

Nos han convertido en abuelos. Y lo cierto es que esa nueva faceta puede dar un giro a nuestras vidas dotándola de un nuevo sentido en base a esos nuevos vínculos.

Actualmente, los abuelos son, en muchos matrimonios, una fuente de apoyo y equilibrio en la crianza de los hijos; sobre todo si el joven matrimonio se rompe, entrándose así en la cultura de la pérdida. Cuando esa ruptura se produce, venimos a darnos cuenta que hay pérdidas que ya no se recuperarán, ni se podrán compensar.

- Pérdidas de salud en nosotros o en nuestra pareja, que requerirán controles médicos habituales y que progresivamente irán añadiendo limitaciones.

- También se produce la pérdida de amigos y familiares e incluso nos imaginamos que puede ser una posibilidad para nosotros el tener que afrontar la soledad o la muerte.

Etapa IV. El "otoño" del matrimonio: la disolución (65 años en adelante)

- La validez del amor

"Amada mía,

Después de tantos años, después de tantas noches compartidas,

después de tantos sueños, soñados cada día,

te sigo amando tanto, amada mía...

Amada mía,

Un día del otoño se vestirán de blanco mis cabellos,

se quedarán dormidos tus besos en mis besos,

y buscaré tus manos para mecerlos..."

Perales, J.L. *"Amada Mía"*

El amor, en esta fase, es como el caudal de un gran río. Transporta en él toda la historia, todas las experiencias y toda la sabiduría que se haya ido acumulando en el curso de los años, y se nos hace evidente que ha sido el hilo conductor de nuestro matrimonio.

El amor se ha transformado y ha pasado de ser impetuoso y apasionado, a ser sereno y maduro. Como expresaba alguien ya muy entrado en años, cuando se llega a esta edad *"todo se ve con una claridad diáfana".*

- El mejor testamento

Con frecuencia, vivimos en una sociedad donde hay cierta preocupación acerca del testamento patrimonial o del testamento económico que se lega a la siguiente generación. *"Sobre todo, que las cosas queden bien arregladas"* –nos decimos-.

Llegada esa etapa, me gusta preguntarle a las parejas cuál creen que es el mejor legado que pueden dejar a sus descendientes. Y de lo que no puede caber duda es que siempre será la forma en que se haya vivido y amado hasta el final.

Animo, pues, a mis lectores, a no vivir instalados en el conflicto, ni en el resentimiento, ni en el desamor; sino a solucionar temas y a dejar un legado que ni las muchas aguas, ni los muchos años, podrán apagar: la llama del amor.

Las Escrituras nos hablan de un hombre llamado Caleb, quien a sus ochenta y cinco años, exclama: *"...cual era mi fuerza entonces (a los 40 años), tal es ahora mi fuerza para la guerra, y para salir y para entrar"*. (Josué 14:11)

El secreto de Caleb era haber vivido toda su vida siendo *"prisionero de esperanza"*. Y es que los valores que nos han sostenido hasta el presente, y que nos han dado a lo largo de la vida un vigor interior, nos permiten ahora alzar los ojos para mirar más allá y llenarnos de esperanza.

CAPÍTULO 3

El corazón y las arterias del matrimonio: la comunicación

"¡Cuán hermosos son tus amores, hermana, esposa mía!
Cuán mejores que el vino tus amores..."

Cantar de los Cantares 4:10

"... Entre tú y yo, cuando nos amamos,
hay algo más que cariño y locura,
hay más que ternura y deseo,
hay un cielo al que no sé llegar,
una línea que no sé escribir,
un impulso diferente a todos y nuevo.
Algo tan lejano como el sol,
más inmenso que la inmensidad
y tan simple como la palabra: te quiero..."

Perales, J.L. "Entre tú y yo"

La inmensa mayoría de parejas que acuden a un terapeuta de pareja aduce tener problemas de comunicación:

"Venimos porque no nos comunicamos" es frase que se repite de continuo, y que necesita ser tratada en profundidad.

Acostumbro a decirles a los matrimonios que *"siempre nos comunicamos",* pero que lo cierto es que lo hacemos mal, disfuncionalmente, de forma poco satisfactoria, de manera intermitente, por medio de otras personas y que, incluso, lo hacemos de formas no verbales.

Yo les aseguro que todo ello es mejorable, siempre y cuando estemos dispuestos a ser humildes para aprender, sabios para rectificar errores y optimistas para creer que el modelo se puede perfeccionar.

También es posible –y, de hecho, sucede con frecuencia- que la disfunción en comunicación es como la punta del iceberg que sobresale en el mar, pues siempre suele haber por debajo, y de forma no visible, otras áreas de la vida en común que están aún más dañadas. Áreas inaccesibles incluso para el propio matrimonio y que sólo una terapia adecuada permite sacar a flote y sanar.

Al hilo de lo dicho, aclaro que entiendo por comunicación aquel proceso por el cual dos o más personas establecen una relación. Esa relación puede ir de lo más simple y superficial a lo más profundo y complejo, incluyéndose ahí también la comunicación no verbal.

Llega a mi consulta un matrimonio de unos 30 años de edad, que llevan ya casi diez años de matrimonio:

"Discutimos por motivos tontos, por todo y por nada...
Pero, sobre todo, chocamos: los fines de semana en particular, y mucho más aún en vacaciones... (justo cuando más tiempo tenemos para estar juntos)
- A mi –dice ella- me gusta llevar las riendas. Tengo un carácter fuerte. Reconozco que soy agresiva.
Cuando nos casamos, yo huía de mi familia. Mi padre era un fascista. En mi familia no existía el diálogo.
Me gustó de mi marido que era muy manso, se podía hablar con él. Ahora él vive en su mundo".

El marido finalmente participa en la sesión:
- No sabemos ni hablar ni dialogar.
Yo reconozco que me evado: mi deporte, mi pornografía...
Pero me siento más un hijo suyo que su marido.

Recomiendo diálogo, participación de ambos en todos los acuerdos, flexibilizar posiciones y llegar a pactos.

La esposa sentencia:
- "Menos diálogo y más hablar las cosas con claridad y a la cara. Él es un cobarde".

Claramente, en esta pareja se observan temas de Familia de Origen (ella) que nunca se solucionaron, proyección intensa de ira (del pasado al presente) e incapacidad de establecer canales de comunicación sanos. También en él aparecen conductas evasivas, sexualidad disfuncional – propia de la adolescencia- y falta de madurez para asumir un trato más digno en su relación.

Características del proceso de comunicación en general

a. Es un proceso profundamente humano

La comunicación es un proceso profundamente humano. Es cierto que podemos comunicarnos con nuestra mascota, y hasta podemos establecer una relación de afecto. Pero sólo el ser humano tiene la capacidad de comunicarse en profundidad y hacer de la comunicación un medio a través del cual expresar amor, en su significado más íntegro, y convertir ese proceso en una herramienta de terapia.

La complejidad de la comunicación también implica graves riesgos. La otra cara de la moneda es que las disfunciones en comunicación son la causa, en multitud de ocasiones, de desequilibrio en la persona y de profunda insatisfacción en la vida de pareja.

Los animales se comunican entre sí y con nosotros a niveles muy inferiores. Por ejemplo, cuando en el pasado se han hallado niños criados por lobos, se observó que las criaturas habían sobrevivido biológicamente, pero psicológicamente estaban dañadas de forma irreversible.

Desgraciadamente, esto también sucede cuando los niños son criados en medios donde se descuida la comunicación. En función del tiempo, y del grado de incomunicación, se produce un daño terrible, a menudo incluso irreparable en su salud psicológica. El solo hecho de quedar incomunicados, incluso siendo adultos, ya produce muchos trastornos.

La comunicación nos permite el encuentro *"tú-yo"* tan necesario para el equilibrio emocional. En el matrimonio, ese encuentro cobra más significado todavía: verbalizar el compromiso, enriquecer la intimidad, ayudar a la unidad... La relación *"yo-yo"* o *"yo-nada"* nos lleva al desequilibrio o a la desintegración del propio yo.

Como muy acertadamente señala el filósofo Carlos Díaz, no es suficiente pensar o reflexionar para obtener conciencia de existir. No se trata de "pienso luego existo", sino de ser amados: "soy amado, luego existo".

b. Es un proceso gradual (ver fig. 6)

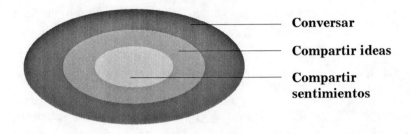

Conversar

Compartir ideas

Compartir
sentimientos

Fig. 6

- El placer de conversar: En la comunicación, éste es el nivel más elemental. Es algo sumamente importante, ya que buena parte de la comunicación que la pareja empleará a lo largo de su existencia se basará en la conversación. De hecho, gran parte del placer del amor se inicia, continúa y finaliza con una conversación.

La conversación tiene su fundamento en un proceso interactivo y creativo por el cual los esposos se sienten animados a hablar entre sí. Conversación que puede ser sobre todo y sobre nada. Los tópicos que componen este nivel de comunicación incluyen lo cotidianos, lo azaroso, lo imaginativo, pero, sobre todo, son fluidos.

Con la pareja se habla de uno mismo, de la otra persona, de los demás, de la realidad que nos rodea y, de forma muy particular, del *"nosotros".* Es una dinámica de comunicación tan rica, que de inmediato le hace experimentar a la pareja una gran complicidad.

Una variante de esa práctica sería *"la conversación estereotipada",* esto es, aquellos hábitos verbalizados que se repiten de forma continuada a lo largo de los años: las buenas maneras, el saludarse, la gratitud, un mutuo interesarse.

De hecho, cuando la pareja entra en conflicto se deja de hablar, incluso en el nivel más elemental. No se saludan, se ignoran, o se responden con meros monosílabos.

La conversación es la base a la que se añaden otros niveles de comunicación para ir así construyendo un proceso rico y complejo. Lo habitual es que, durante el noviazgo, la pareja hable indefinidamente y todavía les falte tiempo. Existe la sensación de que hay muchas cosas que decirse, Es como si se hubiesen estado esperando un largo tiempo y ahora hubiera que recuperar ese tiempo.

- **Debatir ideas:** Es la faceta de la comunicación que posibilita el crecimiento conceptual e intelectual en el matrimonio. En esencia, consiste en analizar la realidad desde diferentes ángulos para presentar resoluciones (como si de dos abogados se tratara), esgrimir argumentos (a favor o en contra), para analizarlo todo de forma constructiva y sin grandes tensiones. La gran pregunta en este nivel de comunicación es: "¿Qué piensas tú al respecto?"

Es en el seno de una buena comunicación, pues, donde vendrán a debatirse y solucionar cuestiones básicas propias de la "cultura del matrimonio".Temas que tienen que ver con los valores que se comparten, el uso del tiempo libre, la gestión del dinero, la vida profesional, la crianza de los hijos, etc.

- **Compartir sentimientos**: Nos hallamos ante un nivel muy profundo de la comunicación. Este es el nivel que, a veces, nos hace sentir incómodos, pero que, al mismo tiempo, puede ser muy gratificante. La gran pregunta aquí es: "¿Cómo te sientes tú?".

Resulta doloroso comprobar que hay parejas que nunca se han formulado pregunta tan sencilla y que es, sin embargo, clave para abrir nuestro corazón.

Cuando hacemos o respondemos a esta pregunta, nos abrimos a la otra persona invitándola a entrar en ese lugar donde, como en ningún otro, experimentamos nuestros más preciados anhelos, nuestros temores más profundos, las vivencias que más pudor nos causan; y donde, asimismo cómo en ningún otro, se hace evidente nuestra vulnerabilidad y fragilidad. Y es, al mismo tiempo, el lugar por excelencia donde se produce la sanidad profunda, donde se restaura lo quebrantado, donde cicatrizan nuestras heridas.

La comunicación de los sentimientos más íntimos posibilita que la otra persona actúe como un espejo donde vernos reflejados y, al mismo tiempo, sentirnos amados.

- El divertimento de la complicidad: Es esa comunicación propia de la intimidad que tan bien canta José L. Perales en el fragmento citado.

Casi todas las parejas buscan nombres o apelativos cariñosos (llenos de gracia y ternura) con los que dirigirse el uno al otro: "Cari, bichito, peque, cielito, etc". Por otra parte, además, la mayoría de las parejas desarrollan códigos de comunicación para hacerse saber que desean afecto o tener relacione sexuales. Se trata de una complicidad que nos hace sentir únicos por la forma en que somos amados.

- La comunicación espiritual: Cuando pregunto por este nivel de comunicación, la pareja suele sorprenderse y admiten que raramente la practican.

Pero es ésta una comunicación imprescindible para solventar las situaciones de crisis, allí cuando surjan los problemas, o ante la enfermedad, cuando ésta se presente. Consiste en poder compartir experiencias de fe, y pensamientos y textos de las Escrituras que nos hayan hecho bien; en orar juntos e invocar la presencia y la ayuda de Dios. Es, sin duda, el nivel de comunicación donde nos arrepentimos del mal hecho, pedimos perdón, e intentamos reparar el daño y el dolor causado a la persona que más amamos. Es la comunicación que une en la profundidad, que nos hace sentir una sola alma y que nos posibilita amar incluso más allá de la muerte.

- La comunicación no verbal: Se trata del nivel de comunicación que, según los expertos, llega a constituir hasta el 80% de todo intercambio. Es toda esa otra comunicación que se emite cuando no sabemos qué decir o cuando, sencillamente, sobran las palabras. Consiste en todo aquello que nuestro cuerpo transmite y que va más allá de los sonidos articulados: un abrazo, un apretón de manos, una mirada, una sonrisa, lágrimas, gestos, actitudes, caricias, la sensualidad, etc.

De forma complementaria, incluye también el desarrollo de rituales mutuos de interés y afecto hacia la otra persona: prepararle el café y/o el zumo de las mañanas, echarle una manta por encima en la siesta del sofá, prepararle el baño, darle un masaje, regalarle flores o un libro, mandarle un mensaje, etc. Por cierto, en el caso de recurrirse a Internet y la telefonía, de alguna manera, se pierde y se sesga el proceso total de la comunicación, pues hay todo un tipo de información complementaria, y muy importante, que estos medios no permiten transmitir.

c. Es un proceso dinámico

El proceso de comunicación lo iniciamos en la vida intrauterina. Ya en el vientre materno, el feto es sensible al estrés, pero también a la alegría y el bienestar de la madre.

Una vez hemos nacido, aprendemos a reaccionar ante los estímulos: a devolver una mirada, a reaccionar positivamente ante una sonrisa, a sentir bienestar ante un beso o un abrazo.

Nuestra familia de origen es el lugar por excelencia donde "integramos" el proceso de comunicación. Allí se conversa, se comparten ideas y sentimientos, se habla con respeto, se toman decisiones en consenso, etc., aunque también puede que suceda todo lo contrario.

Durante la adolescencia y juventud, gracias a nuestro sistema hormonal, ponemos a prueba nuestras emociones y sentimientos. Nos enamoramos, aprendemos a verbalizar nuestro afecto o pasión –antes, en un poema; ahora, en un 'chat' o en el Messenger. También es el momento en que asumimos nuestras primeras frustraciones afectivas, nos rehacemos y nuestra forma de comunicarnos sigue creciendo y madurando.

Entendemos que, a veces, la comunicación es compleja, profunda y aun sofisticada; que una sonrisa puede ser un gesto de amabilidad y no una señal de amor, que hombres y mujeres nos comunicamos de forma diferente; que la comunicación tiene algunas leyes no escritas, etc.

En la vida del matrimonio, sigue habiendo un desarrollo y un enriquecimiento en el proceso de comunicación. Entendemos que la comunicación es vital para un buen entendimiento, para una vida satisfactoria y para vencer todas las dificultades que vayan a ir surgiendo. Será entonces cuando llegamos a entender que es como un arte, y que siempre lo estaremos perfeccionando.

d. Es un proceso recíproco y simétrico

Para explicar esta peculiar característica de la comunicación, recurro al deporte y les digo a mis pacientes que, al pensar en la comunicación, visualicen un partido de tenis. Así como la pelota es golpeada una sola vez por cada jugador, de igual forma tiene que suceder con la comunicación.

En la comunicación, deben intervenir ambos, pero de forma alternativa y, a ser posible, en la misma proporción de tiempo. "¿Qué pasa si soy yo quien más hablo o quien inicia siempre la comunicación?" -me preguntan algunos de mis pacientes-. Pues que en lugar de tenis, les digo, estás jugando a frontón.

Esto puede ocurrir a veces, de forma esporádica; pero cuando, de forma constante y habitual, la comunicación es siempre iniciativa de la parte contraria, o uno de los cónyuges es mucho más productivo que el otro, sucede que se rompe la simetría, y se puede acabar en un modelo muy disfuncional de intercambio.

Un modelo disfuncional de comunicación sería aquel en el que uno es muy activo y el otro muy pasivo, uno es el que marca el inicio y el otro es el que se limita a seguir lo iniciado por la otra parte (o se retira), lo cual acaba suponiendo un desgaste para ambos.

Aunque pueda sonar a tópico, en mi trabajo con parejas he podido observar que las mujeres suelen tener el hemisferio verbal mucho más estimulado y enriquecido que los hombres. Por eso, para ellas una buena conversación es el clima idóneo para entrar en intimidad. A los hombres, los estímulos visuales y olfativos les bastan para entrar en intimidad.

La complementariedad en la pareja, además de divertida, es muy estimulante para seguir creciendo en el apartado de la comunicación; sobre todo, si nos esforzamos por ponernos en lugar del otro, tratamos de descubrir sus preferencias y reencontramos la simetría.

e. Es un proceso terapéutico

El dicho: "Los palos y las piedras podrán herirme, pero las palabras no" es falso. Las palabras puede ser un arma arrojadiza que lastima y desgarra el alma. De hecho, podemos recordar a lo largo de toda nuestra vida aquellas palabras y expresiones que más daño nos causaron. Pero también es muy cierto que pueden ser instrumento de terapia y sanidad. Escuchar de unos labios sinceros expresiones tales, como: "te quiero", "gracias por estar en mi vida", "eres la persona más importante para mí", "no sé qué haría sin ti", etc., pueden hacer que nos sintamos importantes, únicos, y extraordinariamente felices.

Por otra parte, ¡qué experiencia de absoluta plenitud sentirse escuchado con total atención por parte de otra persona! Siempre me han impresionado las palabras de Paul Tournier, renombrado médico suizo, cuando definía la psicoterapia como el arte de escuchar y de escuchar apasionadamente.

La sanidad que proporciona la comunicación la configuran también: el tono de nuestra voz, las formas, el momento del día y el lugar que elegimos, etc. Por eso es tan positivo salir a pasear o cenar juntos.

El sarcasmo, la ironía o el cinismo son enemigos de la comunicación, así como también lo son las medias verdades o el ocultamiento de partes de la realidad o de la verdad. La sana comunicación lleva a la pareja a "la transparencia". Tal como nos expone el texto bíblico, en el matrimonio hay lugar no sólo para la desnudez física sino también para la emocional. En cambio, la disfunción en la comunicación produce obstáculos, interferencias, tensión y, a la larga, ruptura.

Aspectos fundamentales de la comunicación en el matrimonio

a. La existencia y expresión del amor

Desde antiguo en la historia, brillan como rubíes las preciosas palabras de Rut respecto al amor:

> "No me ruegues que te deje y me aparte de ti;
> porque a dondequiera que tú vayas, iré yo,
> y dondequiera que vivas, viviré.
> Tu pueblo será mi pueblo y tu Dios será mi Dios".
>
> Rut 1:16

Madre Teresa de Calcuta, mujer acostumbrada a trabajar entre los pobres más pobres de la tierra, lo expresó así *"la pobreza más grande en este mundo radica en no ser amado"*, y es que la esencia de la vida consiste en *"Amar y ser amados"*; consiste en experimentar un amor con un contenido, con una intencionalidad y con un apasionamiento que nos lleve a querer compartir la vida con la otra persona, y ello en sintonía con sus principios y su existencia hasta el momento final. Un amor así será más fuerte que nuestros impulsos, más consecuente que nuestros sentimientos (aunque éstos puedan ser en ocasiones objeto de manipulación). Y será asimismo un amor incondicional, basado en una relación de *"pacto"*, que aleje todo temor y nos dé seguridad.

Así lo expresaba Rilke:

> "Ésta es la gran paradoja del amor entre el hombre y la mujer; dos infinitos que se encuentran con dos límites.
> Dos personas infinitamente necesitadas de ser amadas, se encuentran con dos capacidades frágiles y limitadas para amar".

La comunicación nos ayuda a expresar en palabras y en hechos toda la inmensidad del amor.

"Ya sé que me quiere, pero es que nunca me lo dice" suele ser queja constante en la terapia de pareja.

73

*"Me acuerdo cuando éramos novios: entonces me escribía poesías, tenía detalles".*Y, por la parte opuesta:*"Ella antes siempre se arreglaba, estaba dispuesta a salir, a tener relaciones sexuales..."*

Y lo cierto es que hay infinitas maneras de amar y de hacer sentir bien a la otra persona que poco cuestan. Basta de hecho con ser generosos y no ruines, detallistas y no olvidadizos, sensibles que no indiferentes ante las necesidades y preferencias de nuestra pareja. En definitiva, se trata de ser fiel al pacto en amor que un día se hizo.

Justamente, la dinámica propia de un pacto ha de llevarnos a obrar sin esperar nada a cambio, ante lo cual cabría preguntarse: ¿No es suficiente recompensa acostarnos cada día con la inmensa satisfacción de haber amado con todas nuestras fuerzas?

b. Una vida de intimidad

La vida del matrimonio no es sólo una vida de buenos amigos, de compañeros de viaje o de compañeros de piso de una vivienda. El matrimonio alcanza su significado más profundo cuando se vive en intimidad.

La comunicación ayuda a entrar y a instalarse en ese mundo de intimidad, que no es otra cosa que sentirse cerca y, al mismo tiempo, seguros con la persona que amamos.

La sana comunicación en amor permite eliminar todos aquellos miedos propios de la intimidad. Vencemos así el temor al rechazo, a no dar la talla, a la intromisión, o a entregarnos a la persona amada. Entramos en la intimidad de pensamientos, intimidad física, intimidad sexual. Al final, esta "desnudez" nos devuelve la libertad y la dignidad. A partir de este momento, tendremos libertad para compartir proyectos e ideas, explorar miedos, reconocer nuestras imperfecciones y dar expresión a nuestros sentimientos más profundos. Todo lo cual nos llevará a relaciones de autenticidad y de unidad con la otra persona.

c. Se resuelven los conflictos y las tensiones

La buena comunicación es el mejor remedio en la resolución de los conflictos que vayan a ir surgiendo en la vida en común. La comunicación permite que se pueda hablarlo todo, y lo ideal es que se haga además lo más pronto posible, para no dejar que los temas "se enquisten". La comunicación posibilita un intercambio a término, lográndose así llegar al fondo de la cuestión, y dándose lugar al reconocimiento del propio grado de responsabilidad en el asunto.

El apóstol San Pablo, conocedor de la naturaleza humana, recomendaba a los primeros cristianos que resolvieran sus tensiones, a ser posible el mismo día y antes de acostarse: *"No se ponga el sol sobre vuestro enojo"* (Efesios 4:26).

Los problemas que escapan a nuestro control, y que se quedan sin resolver, pueden llegar a generar amargo resentimiento. Tampoco va a dar resultado el resolverlos con una adicción (bebiendo alcohol, comiendo en exceso, trabajando de forma enfermiza, o gastando innecesariamente), ni que los solucionemos unilateralmente con una persona ajena al matrimonio, ya que todo ello complicará aún más el asunto.

La comunicación, pues, nos permite llegar a acuerdos, hacer concesiones, flexibilizar nuestra posición, transigir si es necesario, y a aceptar cada uno su parte de responsabilidad.

Disfunciones importantes de la comunicación dentro del matrimonio

En términos de comunicación, hay básicamente dos tipos de disfunción:

1. **La obstrucción de los canales de comunicación.** Esta forma de disfunción se ha producido por el paso del tiempo y una lógica acumulación de problemas, a lo que es posible añadir el nacimiento de los hijos. Ante un caso así, la pareja puede mirar hacia atrás y recordar la época en que la comunicación entre ellos funcionaba de forma satisfactoria. La tarea aquí

sería recuperar lo que se haya ido perdiendo y, si no es deuda muy antigua, el pronóstico puede ser favorable.

2. **La ausencia de dichos canales de comunicación.** Un déficit de esa clase puede obedecer a un problema emocional o psicológico, o a una falta de referentes básicos en cuanto a la comunicación en pareja. Sea cual sea su causa y razón, estará ahí implícita la ausencia de los necesarios canales de comunicación y, de haberlos, es evidente que no son los adecuados o que son muy disfuncionales. Un factor a tener en cuenta será la edad de la pareja y la naturaleza de los problemas a nivel individual, pues habrá casos en los que será muy difícil y hasta prácticamente imposible resolver el conflicto.

En situaciones así, siempre va a ser necesario hacer un croquis que refleje debidamente la situación, constatando:

• Desde cuándo tiene la pareja conciencia de la existencia de esa disfunción en su comunicación y si, en algún momento de su historia, se han comunicado de forma natural y sana.

• Si es en realidad una queja en cuanto a cantidad o calidad de su comunicación.

• Si la disfunción en la comunicación es reconocida por los dos, o si las demandas se han producido únicamente por una de las dos partes. De darse esa segunda posibilidad, es mucho más difícil cuando uno de los integrantes de la pareja no quiere ceder o vive atrincherado en un desequilibrio patológico.

• Cómo se comunican durante las sesiones de terapia. Quién toma la iniciativa, quién se queda callado, quién aprovecha mejor el tiempo de la sesión, quién profundiza más, etc.

Se debe intentar que el ambiente distendido y positivo de las sesiones se haga extensivo de forma gradual a su vida cotidiana. Hay mal pronóstico cuando en la sesión hay descontrol, falta de respeto, o no se llevan a cabo las tareas pactadas entre sesión y sesión.

En términos muy generales, los factores de riesgo más básicos y frecuentes en que suelo encontrarme en los matrimonios que solicitan consulta son:

- La acción destructora de la rutina

La metáfora a la que recurro en estos casos es la del jardín. Así, les hago ver que el matrimonio es lo más parecido a un jardín. Si desean ver flores duraderas, hay que abonarlo y regarlo, pues de nada bastará tan sólo plantar semillas, esperando que crezcan sin más. Si no están vigilantes y activos, llegarán semillas extrañas y perjudiciales que ahogarán las flores. Una de estas semillas fatales es justamente la rutina.

El propio ritmo de la vida, la crianza de los hijos, las demandas de tiempo y de energía de la vida laboral abocan a una falta de vitalidad y de propósito en las relaciones de pareja. Sin casi darnos cuenta de ello, dejamos de tener una buena comunicación. Progresivamente, nos vamos distanciando, y lo peor es que nos acostumbramos a ello.

Debido a que disponer de un buen jardín no está al alcance de la mayoría de matrimonios, cuando ya tengo más confianza con la pareja, suelo recomendarle al marido que compre una planta que requiera cuidados diarios, ¡no sea que vaya a comprar un sencillo cactus!, porque esa planta va a simbolizar su matrimonio. Va a ser una planta, pues, que no han de dejar que se marchite; y menos aún que perezca.

- La formación de relaciones triangulares

Aunque trabajaremos el tema de las relaciones en triángulo, y en más profundidad, en el capítulo correspondiente a la familia de origen, lo cito aquí por su frecuente incidencia en las disfunciones en la comunicación.

Un *"triángulo"* es la relación que se establece entre tres personas, eventos o cosas. Cuando dos partes de un sistema familiar experimentan falta de comunicación, insatisfacción, incomodidad, o tensión, cabe la posibilidad de que se centren en una tercera persona en un deseo emocional y, generalmente inconsciente, de dar estabilidad a su propia relación.

Pero la realidad vendrá a demostrar que el problema de comunicación no queda resuelto con esa relación triangular. De hecho, puede incluso que se reitere a perpetuidad, pues un triángulo, paradójicamente, es la mejor forma de mantener una disfunción sin que llegue nunca a resolverse (ver fig. 7). Y si el triángulo desaparece, sube de nuevo la tensión; evidenciándose la latencia del problema.

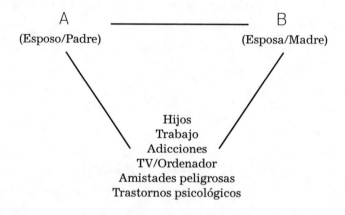

Fig. 7

Todos los matrimonios y familias evidencian la existencia de alguno de estos triángulos, siendo sin duda algunos más disfuncionales que otros. El número de triángulos presentes evidenciará el grado de estrés y la clase de patología familiar.

La terapia, en este caso, consistiría en que el matrimonio admita de forma consciente la energía empleada en desviar y derivar temas, en vez de afrontarlos, animándoles entonces a que vayan asumiendo que la línea más corta entre dos puntos, en este caso entre dos problemas, es la línea recta y no el triángulo.

- Recreamos patrones de la familia de origen
En cuanto a los estilos y formas de comunicación, es hecho comprobado en el ámbito de la Terapia Familiar que las parejas tienden a reproducir patrones conocidos y hasta interiorizados de

forma inconsciente en el entorno de la propia familia de origen. Nuestras Familias de Origen, como analizaremos en su momento, nos han transmitido sin duda patrones positivos, y también otros claramente disfuncionales. La reflexión sobre este bagaje adquirido nos permite deslindar lo uno de lo otro, e incorporar en nuestra nueva relación aquello que deseamos perpetuar. La falta de reflexión hace que actuemos sin más, repitiendo de forma automática patrones que no siempre van a ser recomendables:

- Gritamos, porque era normal gritar en nuestra familia de origen.

- Nos cuesta expresar afecto, porque no era bien visto en nuestra Familia de Origen.

- Tomamos decisiones sin antes consultar, porque en nuestra Familia de Origen las decisiones no se tomaban por consenso.

- Carecemos de pautas para resolver conflictos, porque en nuestra Familia de Origen o no se resolvían nunca o se negaba su existencia.

A todo lo anterior habría que añadir también un sinfín de temas que reclaman nuestra atención. Quizás el más grave de ellos sea la incapacidad por una de las partes de cortar el "cordón umbilical" que todavía le une a su Familia de Origen. Ése es un triángulo muy peligroso, porque hará que la otra parte de la pareja se sienta siempre como una segunda opción y, en términos de comunicación, siempre estará presente alguna forma de interferencia en cuanto a su intimidad.

Pautas para enriquecer la comunicación

De forma muy breve, pero también realista, sobre todo si los problemas en comunicación no son ni graves ni crónicos, propongo una serie de consejos que siempre han sido bien recibidos por las parejas tratadas a nivel profesional.

a. Dedicar tiempo

El tiempo es el bien más preciado en toda relación personal. No sólo me refiero al tiempo cuantitativo, aquel tiempo que podemos medir; sino el tiempo cualitativo, aquel tiempo que vivimos en intensidad, sin agobios ni interferencias.

El tiempo ya pasado es un bien que no podemos recuperar y, son muchas las ocasiones en las que, mirando hacia atrás, nos dolemos del 'robo' sufrido por parte de un trabajo que exigía demasiado de nosotros, exacerbando al límite nuestra capacidad de producción. Dedicar tiempo a la pareja es muestra de amor y equivale a decirle de forma explícita: "te quiero, me importas".

Es importante mantener o recuperar el hábito de hacer juntos (sin teléfono, ni televisor, ni interferencias externas) una de las comidas del día, sobre todo los fines de semana. Hay que tratar de recuperar el valor más profundo de la comida como un trabajo hecho al amor de la compañía, como vínculo relacional y no sólo como una necesidad biológica, considerándose la mesa como una invitación a conversar, a interesarse por el otro, a compartir, etc.

También debemos tener en cuenta posibles estrategias y dedicar un tiempo a salir, a dar paseos románticos como pareja y oxigenar así la relación y recuperar una perspectiva común.

b. Aprender a escuchar

Escuchar, en términos de comunicación, es más importante que hablar. Probablemente, ésta sea la razón por la que tenemos dos oídos y una sola boca; para poder escuchar el doble de lo que hablamos.

Escuchando aprendemos a saber lo que el otro necesita, lo que le gusta y desea. La escucha es el preámbulo de la empatía. Escuchando es cuando más se incide en la vida de la otra persona, al dejarla verbalizar sin trabas sus ansias, sus temores, sus más íntimos anhelos.

Se trata de escuchar sin prejuzgar, sin interrumpir, sin preparar la respuesta; dejando única y sencillamente que las palabras fluyan y tomen cuerpo.

Siempre me ha cautivado a este respecto el cuento breve de Herman Hesse acerca del encuentro existencial entre Siddartha y el barquero. En ese relato, la escucha es de un tremendo valor terapéutico:

- "¿Quieres pasar al otro lado?, -le preguntó el barquero a Siddartha.
- Has elegido una hermosa forma de vida, -dijo el viajero-. Ha de ser muy maravilloso vivir siempre a la orilla del río y cruzarlo de una a otra parte.
- Sí que es hermoso, señor; tan hermoso exactamente como vos decís.
- Pero acaso, ¿no es hermosa toda vida?, ¿no tiene cada trabajo su propio encanto?...
- Te agradezco el haberme escuchado con tanta atención.
Son raras las personas que saben escuchar de verdad y hasta ahora no había encontrado a nadie que lo hiciera como tú.
Eso también lo he de aprender de ti.
- Lo aprenderás –repuso el barquero-, pero no de mí.
El río me enseñó a escuchar. De él, lo aprenderás tú también.
Es el río el que lo sabe todo, y mucho es pues lo que puede aprenderse de él". [1]

A un nivel más profundo, estoy absolutamente convencido de que esa es la terapia de la que Dios se sirve con eficacia cuando acudimos a Él cargados y cansados solicitando ayuda ante la duda y solución para nuestras ansiedades.

c. Usar todos los canales disponibles

Las personas más racionales se sienten atraídas en términos de pareja por otras más emocionales. Por pura ley de compensación, la relación funciona bien hasta que cada uno de ellos espera que el otro hable también "su idioma". Cuando esto no sucede, se siente frustración, incomprensión y hacen su aparición los reproches.

El buen comunicador sabe en qué canal espera la otra persona recibir el mensaje, y cuantos más canales se utilicen, más se va a enriquecer la comunicación. No es sabio "cerrarse" a un canal sin moverse ni a izquierda ni a derecha.

---

1 Hesse, H. "*Siddartha*". Plaza & Janés Editores, S.A. Barcelona, 1987, págs. 145-149

Es cierto que el cuidado y el amor se expresan trabajando y haciendo que nada falte a la familia o bien manteniendo la casa en orden y haciendo que la ropa y la comida estén listas a tiempo. No obstante, éstas no son las únicas maneras de expresar afectos positivos. También se expresa verbalizando, o teniendo detalles, o con abrazos y ternura, con sorpresas, con una buena comida, por medio de las relaciones sexuales, y un sinfín más de posibles idiomas y lenguajes.

CAPÍTULO 4

Trascender el mito
de la perfección:
la resolución de conflictos

"La blanda respuesta quita la ira;
mas la palabra áspera hace subir el furor".

Proverbios 15:1

"Un matrimonio feliz es el resultado de experimentar juntos
las transiciones y las crisis de la vida, cualquier cosa que el
tiempo y el espacio nos envíen".

Frank Pitman

"Hay una antigua historia en la que una mujer romana acude
a un rabino y le pregunta:
- ¿A qué se dedica tu Dios en la actualidad después de haber
creado el mundo y organizarlo?
El rabino le contesta:
- Está intentando que encajen las parejas.
- ¿Eso es todo?, le dice ella.
Yo podría hacer eso por mí sola.
- Quizás, le respondió el rabino,
pero para Dios eso resulta tan difícil como separar las aguas
del Mar Rojo".

Friedman, E.H.[1]

El matrimonio puede definirse como una lucha de poder consciente o inconsciente, con el fin de relacionarnos de forma íntima y satisfactoria con la otra persona.

A diferencia de otras relaciones personales que establecemos, laborales, vecinales o incluso comunitarias, en el matrimonio las personas están unidas a niveles mucho más profundos:

* **Emocionalmente**: La pareja es la persona en quien más se ha invertido en esta vida, a quien más se ha amado; por eso, la infidelidad, la ruptura o la pérdida resultan tan desgarradoras y aterradoras.

---

1 *"Generation to Generation".* The Guilford Press. New York, 1995 (existe traducción al castellano).

- **Físicamente**: Compartimos un mismo espacio y nuestros cuerpos se han entrelazado a través del tiempo y por medio de la intimidad sexual. Conozco de la otra persona cada arruga de su cuerpo y de su alma.

- **Un mismo proyecto**: Se comparte un mismo proyecto de familia, del cual el matrimonio es el fundamento. A causa de nuestra unión, hay otros seres involucrados: hijos, padres, hermanos.

- **Económicamente**: Hemos construido una pequeña sociedad, en la que compartimos el patrimonio o las deudas acumuladas.

- **Legalmente**: Hay leyes que se deben afrontar de forma responsable en caso de maltrato, ruptura o cese.

- **Existencialmente**: Decidimos pasar del "yo" al "nosotros", y unir nuestros destinos. Mi pareja es mi otro yo, ese espejo en el cual me percibo a mí mismo; la única persona por la cual renuncio a todas las demás.

  Escribía C.S. Lewis: *"Ella es excepcional, como es igualmente Excepcional quien la hizo"*.

- **Espiritualmente**: Si somos creyentes, nuestras vidas están unidas, en lo más íntimo y de la forma más solemne, ante el Ser Supremo, que nos ha dado la vida y que es el arquitecto del matrimonio. Vínculo que entendemos como indisoluble, porque reproduce el vínculo establecido por Dios con nosotros. Sólo la dureza de nuestro corazón o el fracaso en saber amar podrá desligarnos.

La batalla entre la pareja se dará básicamente en tres frentes, aunque más adelante veremos que puede darse mayor complejidad:

    a) la comunicación (y sus posibles disfunciones).
    b) la sexualidad (su ritmo, su intensidad).
    c) el poder (dinero, decisiones).

El caso: Se trata de una pareja joven (alrededor de 20 años). Vienen porque su vida de matrimonio es una guerra constante.

No saben hablar sin faltarse al respeto, sin gritar, sin amenazarse, sin sentirse tan hundidos que a veces preferirían morirse...

- Cuando la tensión sube, él se encierra en la habitación o en el cuarto de baño...

Yo no puedo sufrirlo –comenta ella-. *Es superior a mí, me siento abandonada, me deja por loca. Golpeo la puerta y le suplico con sollozos que me abra, que me mire, que no me haga sentir tan miserable.*

- *Nos enzarzamos rápidamente en una espiral de rabia* –argumenta él-. *O me aíslo, o me voy de casa. Si no lo hago, sé que le haré daño o me lo haré a mí mismo...*

Ella consigue sacar lo peor de mí.

Se conocieron de forma meteórica. "*Se encontraron*", y lo cierto es que lo dos provenían de relaciones anteriores caracterizadas por la inestabilidad, aunque ninguno de los dos llegó a asumir cuál era su contribución a tal inestabilidad.

Desde que se conocieron, pensaron en casarse, sin considerar que la relación de pareja iba a resucitar viejos fantasmas que yacían dormidos en sus inconscientes:

- El distanciamiento del marido despertaba en ella los sentimientos de abandono de un padre, aquel primer hombre de su vida, frío y distante, en lugar de aquel que hubiera deseado: cálido y cercano.

- La presión de la esposa reproducía en él aquella sensación de opresión que había sentido ante una madre que en todo se inmiscuía, que nunca paraba de preguntar y a quien el silencio nunca conseguía detener.

  La respuesta al encontrarse con tales fantasmas era la ira. Ira y enojo, proyectados ahora sobre su pareja. Incendio de grandes proporciones, cuyas voraces llamas destruían inmisericordes lo que de su proyecto de vida de matrimonio quedaba.

Evolución del conflicto en el matrimonio

La mayoría de parejas aprenden a resolver sus conflictos y, como consecuencia de ello, profundizan en sus vidas y en su matrimonio. Los primeros años del matrimonio son el momento ideal para hacer ese aprendizaje.

Cabe decir que, de forma embrionaria, la mayoría de conflictos van a surgir durante el noviazgo, sobre todo si éste ha sido realista y honesto. Ya en el noviazgo, la pareja aprende pautas de comportamiento para hacer frente a las situaciones de conflicto.

Pero en otras ocasiones, el conflicto es como una llama que cada vez arde con más fuerza y acaba consumiendo al matrimonio.

Proceso que sigue el conflicto (en fases)[2]

Para poder ser más analíticos, induciendo con ello a la reflexión, recurriremos a una forma de escrutinio en diferentes fases (ver fig. 8). Llegados a este punto, además, debo insistir en que, en la actuación terapéutica, ni el terapeuta ni la pareja han de ser ingenuos; si el conflicto se halla en una fase avanzada, el matrimonio y su estructura estarán gravemente dañados. En estos casos, lo sabio es asumir que el proceso de recuperación será arduo y prolongado, puede incluso que sea ya hasta imposible.

Fases en la Evolución del Conflicto en el Matrimonio

0	I	II	III	IV
Noviazgo	- 6 meses	+ 6 meses	Ruptura	Divorcio
Primeros conflictos	Ira Rabia Frustración Dolor	Proyección sobre la pareja Pérdida de perspectiva Autocompasión	Disfunción seria en comunicación Desconfianza	Separación Establecimiento de límites

Fig. 8

---

2 Guerin, Philip J. "The Evaluation and Treatment of Marital Conflict". Basic Books Inc., New Cork, 1987.

Conflicto en el noviazgo

Ahí se dan ya "las primeras escaramuzas" de pareja.

Como ya he dicho en otras partes del libro, es en esta fase donde, en términos militares, se "ponen a prueba las defensas" de la otra persona. Se establecen los límites de respeto, de integridad moral, de mutua fidelidad, etc. También se es consciente de los límites que no hay que traspasar y de hasta dónde se ha de dejar llegar a la otra persona. Comprobamos entonces que somos diferentes, nos alegramos de esas diferencias y concluimos que, a pesar de todo, es más fuerte el amor a nuestra pareja que aquello que nos distancia.

Es muy importante comprobar hasta qué y cómo se han solucionado los temas, si han quedado bien cerrados, si se ha asumido la responsabilidad oportuna de forma conjunta, o si se ha proyectado la culpa en los demás: la familia de origen, el trabajo, unas circunstancias externas.

Repito lo dicho en capítulos anteriores y ello porque me parece algo absolutamente capital. Si aparecen patrones de maltrato (físico, psicológico o sexual) o adicciones (drogas, alcohol, juego, sexo, trabajo...), más vale cortar la relación a tiempo que sufrir ya sin remedio prácticamente para siempre.

En el caso de que aparezcan incompatibilidades o inseguridades poco definidas, lo más indicado será buscar orientación y ayuda externa más objetiva.

Finalizo este punto con una nota de realismo. Tengo un buen amigo que ha decidido no animar a casarse a ninguna pareja si no han discutido durante el noviazgo, pues está firmemente convencido de que no se está dando ahí una auténtica relación.

Conflicto en fase I

Esta es la fase "*normal*" para la aparición de la mayoría de los conflictos en todos los matrimonios. La motivación de la pareja por luchar y resolverlos es grande, mientras que el nivel de ansiedad y crispación es bajo.

Probablemente, en esta fase, a la pareja le faltan recursos y pautas de tipo psico-educacional para poder llevar hacia delante algunos temas. Esa falta inicial de recursos para la resolución de problemas puede solventarse compartiendo la situación conflictiva con alguna otra pareja, por la lectura de algún libro, por la asistencia a algún seminario sobre el enriquecimiento de la vida en pareja, o por el propio diálogo y reflexión entre ellos.

No cabe duda de que, en estos casos, va a estar siempre presente un cierto sufrimiento emocional, cierta rabia y frustración por no ser comprendido o por considerarse maltratado. Pero, tal como apuntábamos líneas atrás, esos niveles de estrés son por completo manejables y fáciles de solucionar.

La pareja llega a la conclusión, y esto tiene una importancia capital, que el matrimonio no es una aventura o una relación exclusivamente romántica, sino que es una relación en la cual se ha de trabajar e invertir esfuerzo.

De forma orientativa, cifro en menos de 6 meses la duración de ese tipo de conflictos. Aunque, como es muy lógico, se irán resolviendo para dar paso, se quiera o no, a otros nuevos.

Conflicto en fase II

En esta fase, aunque la comunicación entre el matrimonio continúa siendo abierta, ya se ha producido un cierto distanciamiento en la intimidad. Lo que ha hecho la otra persona me duele, y por lo tanto "me defiendo" creando un espacio de seguridad, que puede incluir no hablar ciertos temas, y/o distanciarme física y/o sexualmente.

En esta fase, la pareja cuenta ya *"con dos verdades"* para una misma situación. Cada uno está, además, centrado en sí mismo. Se ve muy clara cuál es la propia parte de razón, de derechos o de dolor. Pero hay una pérdida de perspectiva del modo en que uno mismo pueda estar dañando a la otra parte. Mecanismos de defensa tales como la represión, la negación o la proyección son los utilizados en esta fase, y la autocompasión está a la orden del día.

En estas situaciones, el nivel de ansiedad se dispara, así como también el dolor, el enfado, la ira o la frustración. En esta fase pueden empezar a hacer su aparición las infidelidades y/o los malos tratos, pero de forma puntual y no destinados a poner fin a la relación.

Llegados a este nivel de conflicto, resulta difícil que la pareja pueda salir por sí misma de la situación. Se requiere una opinión externa objetiva, y con autoridad reconocida por ambas partes. Será, pues, alguien que no esté involucrado emocionalmente quien pueda mediar y reconducir a la pareja hacia un terreno de seguridad y de sanidad, tal como es el caso, por ejemplo, en la terapia de pareja.

Los conflictos en esta fase se prolongan más allá de los seis meses, y lo más probable es que hayan ya entrado en la cronicidad.

Conflicto en fase III

En esta fase, se intensifica el clima de tensión de la fase anterior, siendo más alta la ansiedad y la tensión. La comunicación ya no es abierta, ni se espera ser entendido; de hecho, y muy por el contrario, aumenta la suspicacia. A lo cual hay que añadir la decepción, la desesperanza y la amargura provocadas por el hecho en sí de haber tenido que resolver conflictos.

Así, puede ocurrir que, de vez en cuando, *"salten chispas"* en la relación y la pareja se enzarce en discusiones de índole agresiva, pudiendo ser verbales o, incluso, físicas. Se traspasan los límites del respeto una y otra vez, con lo cual las personas se hunden y generan síntomas clínicos: ansiedad, depresión, enfermedades psicosomáticas, etc.

Por razones de propia seguridad, son muchas las parejas que aprenden a vivir en un ambiente de *"guerra fría"*, con una zona intermedia neutral, evitando tocar temas conflictivos. El distanciamiento emocional puede traducirse en separación física (se duerme en habitaciones separadas), separación sexual, separación emocional e incluso separación económica.

A alguno de los dos –o quizás a ambos– se les pasa por la cabeza que hubiera sido mejor no haberse conocido, y hasta se fantasea con la idea del divorcio, o con conocer a alguien que los libere para siempre de esa pesadilla. Al final de esta fase se hacen consultas legales acerca de cómo quedaría la situación en caso de ir adelante el divorcio. La fantasía a veces queda ahí, porque no siempre es factible la ruptura, ya sea por motivos de conciencia, por miedo al futuro, por motivos económicos o por amor a los hijos.

Conflicto en fase IV

"Desconfianza" es el sentimiento que mejor describe el clima predominante en esta etapa.

En alguna franja entre las fases III-IV se ha decidido interponer recurso legal de divorcio. A partir de aquí, han aparecido profesionales que van a defender los derechos de cada cónyuge. Esto hace que la pareja tenga otros interlocutores y se alimente este clima de desconfianza y susceptibilidad.

Hay un reconocimiento público de que el matrimonio se ha roto o se ha acabado. Empiezan las duras negociaciones por la tutela de los hijos, las pensiones a pagar y los bienes a repartir.

Lamentablemente, el conflicto, y todas sus secuelas emocionales, no sólo continúan, sino que aumentan en esta fase. La otra persona ya no nos parece alguien a quien amar –persona entrañable y amiga–, sino alguien de quien me tengo que precaver o incluso defender. Por supuesto, habrá excepciones y también dependerá de los profesionales con los que se cuente para legalizar el divorcio, pero suele ser una etapa tormentosa mientras llega a su final y pueda empezarse a analizar las cosas con objetividad y más calma.

En términos de conflicto, lo peor – tal como se ha señalado en otra ocasión- consiste en llegar a un divorcio por vía contenciosa, donde la agonía del matrimonio y de los hijos se alarga de forma indefinida.

En términos terapéuticos, resulta difícil actuar en la vida de la pareja, más allá de la fase II, a no ser que la terapia sirva para reconducir ese previsto final del matrimonio, para estabilizarlo en un clima de pacífica convivencia –pero sin intimidad- o para hacer descender los niveles de tensión.

No quisiera con todo esto, sin embargo, transmitir pesimismo y, de hecho, debo especificar, que he trabajado con denuedo durante muchos años con parejas en fase III e incluso IV, pero siempre como excepción a la norma.

La lección es clara: más valdrá siempre prevenir que curar, y actuar cuando aún se está a tiempo, antes de que la bola de nieve que generan los conflictos arrolle al matrimonio de forma inevitable.

Principales causas de conflicto en el matrimonio

Aparte de las disfunciones en la comunicación, la falta de tiempo, la necesaria negociación con la Familia de Origen y la heterogeneidad del matrimonio (matrimonios jóvenes, biculturales o reconstruidos), que son factores ya mencionados en los capítulos correspondientes, detallo a continuación algunas de las causas más importantes de conflicto en el matrimonio.

a. Diferentes conceptos en cuanto al matrimonio

- Son temas que tienen que ver con una lucha consciente, o inconsciente, por la gestión del poder, y que parece que nunca van a acabar de resolverse: administración del dinero, toma de decisiones, el tener la última palabra, etc. De hecho, el matrimonio sano es el que somete las luchas por el poder al principio del amor.

- La forma de afrontar las tensiones y diferencias propias del vivir en pareja: deben de ser aceptadas con normalidad, sin tragedias, sin ver en la otra persona al enemigo o al verdugo.

Se debe tener siempre un espíritu positivo para restablecer cuanto antes un buen ambiente y relegarlo todo al olvido. De nada va a servir instalarse en el papel de víctimas ni el fomentar resentimientos. La fragilidad y la imperfección propia del ser humano han de ser tenidas en cuenta.

- La resolución del binomio clásico entre autonomía-intimidad. Es necesario saber que eso va a estar siempre ahí, y que la única forma satisfactoria de resolverlo, y de solucionar los problemas que puedan ir surgiendo, será haciendo gala de una actitud flexible y de un talante abierto al pacto y a la negociación.

Por amor, se renuncia a controlar el deseo de autonomía de la otra persona. Por amor, se renuncia a ciertas cotas de autonomía, porque se entiende que vivir en pareja significa alimentar la intimidad.

- Es imprescindible definir qué se entiende por transparencia y por rendir cuentas. Personalmente, yo siempre he mantenido que el matrimonio es un lugar de transparencia y de corresponsabilidad. Todo lo que uno hace, acaba siempre por afectar a la otra persona.

En consulta, me preguntan: "¿Transparencia total?, eso es imposible; es además muy peligroso y arriesgado". Pero lo cierto es que nada hay que temer cuando el amor está presente y gobierna nuestra relación, pues: "El verdadero amor echa fuera el temor".

b. Causas externas al matrimonio

- A lo largo del matrimonio, se pueden ir haciendo evidentes trastornos psicológicos o psiquiátricos más o menos graves, que pueden ser una fuente importante de conflictos, sobre todo si no son atendidos y no se asume la responsabilidad de seguir un tratamiento o tomar una medicación.

- Las conductas y patrones de maltrato serán también fuente de no pocos conflictos. La pauta a seguir sería trabajar cuanto antes en su resolución y presionar a la parte responsable para que así lo asuma.

- Conductas de infidelidad, que como he sugerido pueden tener un espectro muy amplio: desde pornografía, chats, amistades sin sexo, sexo sin amistad, o incluso relaciones paralelas.

- Pérdida de trabajo o presión en el trabajo (mobbing). Esto hará que la tensión se traslade al hogar. El matrimonio puede ser una fuente de salud y energía para recuperar la perspectiva, o puede convertirse en el espacio de la catarsis y la proyección de todas esas tensiones.

- Algún hijo con problemas serios. Los problemas de salud en los hijos –más si se da un fallecimiento- pueden hacer que el matrimonio se culpe a sí mismo, viva en una insatisfacción crónica o incluso que acabe en ruptura.

c. Falta de acoplamiento sexual

El tema de la sexualidad, como factor potencial de conflicto, suele estar presente en la mayoría de los matrimonios. Es un tema que no puede infravalorarse, pero que tampoco ha de vivirse de forma trágica. En mi experiencia profesional, la mayoría de los problemas sexuales tienen buena solución, si bien ésta no va a ser siempre rápida y requiere, de suyo, la colaboración de la pareja en conjunto.

Estos problemas pueden ir desde la falta de un ritmo satisfactorio para los dos, hasta la ausencia de un disfrute más intenso. La falta de tiempo y el cansancio hacen que la pareja se centre a menudo en el coito, dando como resultado una sexualidad muy rutinaria o pobre. Esto acaba con toda la riqueza de las posibles conductas sexuales propias de la sexualidad humana.

Las disfunciones sexuales más frecuentes en el hombre son: eyaculación precoz, o falta total de la misma, y problemas de erección. Por su parte, las disfunciones más frecuentes en la mujer son dispareunia (dolor vaginal en la relación sexual), falta de deseo o ausencia de orgasmo.

Problemas más serios serían el deseo sexual inhibido de forma crónica, los traumas subyacentes por abuso sexual en la niñez, o una homosexualidad latente que impida la expresión de la sexualidad en pareja, etc.

Pautas en la resolución de conflictos

a. Admitir que los conflictos son inevitables

Nadie es perfecto. No lo somos ni yo ni la persona a quien amo, y nuestro matrimonio tampoco lo va a ser.

Al detenernos a observar el matrimonio de nuestros padres, o de otras personas, nos decíamos que nosotros íbamos a ser diferentes, que íbamos a mejorar muchas cosas, incluso a superarlas, pero lo cierto que ni el desearlo ni la buena voluntad van a poder librarnos de experimentar conflictos.

Cuando algún matrimonio afirma que ellos no tienen conflicto, nos puede estar diciendo varias cosas:

- Que hace poco tiempo que están casados y todavía están en plena idealización.

- Que viven muy lejos el uno del otro, y, debido a esta distancia, no hay intimidad, con lo cual no hay lugar ni tiempo para conflictos.

- Que están mintiendo, pura y llanamente.

Aceptar esta realidad nos libera de la frustración, del complejo de víctimas y de una estéril aspiración a la perfección. Y eso, por sí solo, ya es muy terapéutico.

b. Entender el conflicto y afrontarlo juntos con esperanza y optimismo

Para entender el conflicto, lo primero es tratar de ver por qué se ha producido. Lo cierto es que siempre hay factores atenuantes o explicaciones lógicas, y es justamente por eso por lo que no hay que atacar a la parte contraria, cargándole toda la culpa, sino asumir juntos el conflicto. Esto se conseguirá hablando en plural, es decir, buscando soluciones que involucren a los dos.

Nunca se debe "etiquetar" a la otra persona, ni pretender emitir juicio y diagnóstico respecto a su carácter y actuación, aunque no por ello hay que negar el conflicto ni esconder la cabeza bajo el ala. Estas conductas no harían sino retrasar su solución y siempre desesperan a la otra persona.

Lo que está claro es que el conflicto nunca va a desaparecer si se buscan soluciones irracionales: hablar del caso con quien no se debe, pasarse las horas en el bar, trabajar aún más, u otras posibles alternativas; aunque lo cierto es que tampoco cabe esperar soluciones mágicas o instantáneas. Todo buen proceso requiere su tiempo.

Lo que sí hace falta es buscar ayuda. Se trata de una solución propia de personas humildes y que tiene un precio para nuestro orgullo y dignidad, pero éste siempre es menos costoso que jugarse el futuro del matrimonio.

c. Desplazamiento de responsabilidades

Justamente porque el conflicto siempre provoca ruptura, es muy importante no levantar barreras que me distancien de la persona que amo.

"Proyección de culpa" es un mecanismo de defensa, con el cual veo con 'meridiana' claridad los defectos del otro y el mal que me ha hecho, pero curiosamente ignoro o no veo los míos.

La *"Autocompasión"* es otro mecanismo que me induce a creer que mi dolor es inconmensurable, inmerecido y único en su género.

Debemos tener la necesaria capacidad para juzgar el matrimonio en su globalidad, y tratar de buscar no tanto el sentenciar y vencer como el bien mayor para maduración del matrimonio.

d. Hablar la verdad con amor

"*Siguiendo la verdad con amor*", declara Pablo escribiendo a los efesios (Ef. 4:15).

Siempre pido a la pareja que se imaginen una balanza de dos platillos. En uno, está la verdad y en el otro, el amor. Ambos ingredientes de la relación de pareja están vinculados de forma indisoluble: "*verdad-y-amor*".

Debemos evitar ser tan veraces que arrasemos con nuestro juicio, o tan amorosos que lleguemos a obviar la verdad. El amor suaviza las verdades más crudas y la verdad hace que nos desnudemos ante la persona amada, sin pretender engañar ni aparentar lo que no somos.

Hay que tener cuidado con las medias verdades, ya que acaban siendo mentiras y, sobre todo, deberán siempre hablarse los temas con las personas implicadas y no con personas ajenas a la relación.

e. La realidad del perdón

El perdón sincero y profundo supone el mejor remedio para recomponer lo que el conflicto haya roto. Ese es factor imprescindible en toda relación de pareja, ya que supone el reconocimiento explícito de nuestra imperfección. Dicho de otra forma, ninguna relación auténtica, íntima y madura, podrá funcionar sin incorporar el perdón a su dinámica.

El perdón implica por parte del ofensor:

- Reconocer el error (arrepentimiento) por parte de quien haya realizado esa acción injustificada.

- El haber aprendido y no volver a incurrir en el mismo tema. Nada hay tan perverso como pedir perdón y volver a hacer lo mismo, ya que confunde a la persona agraviada.

- Intentar "*restituir*" el daño hecho. De alguna forma, hay que reparar lo que se ha roto y compensar por la pérdida con generosidad.

Por parte de la persona agraviada, el perdón implica:

- No que se olvide, pero sí que se libre del resentimiento y se restablezca la paz emocional.

- También supone generosidad de espíritu –perdonar es de príncipes- y reconocer sinceramente que nosotros podríamos haber sido los ofensores.

- Perdonar va más allá de la mera acción: implica esforzarnos en no rentabilizar el mal ni aprovecharnos de nuestra posición moral.

f. El control de la ira

El autocontrol y autodominio de la ira supone una gran conquista personal y es un arma de valor inestimable en todo conflicto de pareja.

Defino como ira: alzar la voz, gritar, insultar, intimidar, romper objetos, dar golpes sobre los objetos, zarandear, golpear a la persona o incluso maltratar a la mascota. También implica ira de forma pasiva: enmudecer y dejar de hablar, hacer chantaje psicológico o amenazar con quitarse la vida.

Nada hay tan antagónico al amor como el miedo que genera la ira. No podemos amar a la persona que nos inspira temor. Tampoco podemos dialogar ni escuchar, pues, de forma instintiva, las defensas se han activado.

Añado algunas consideraciones finales:

La sanidad o disfunción de un matrimonio no depende de la ausencia de conflictos, sino de la capacidad de reconocerlos, afrontarlos y solucionarlos, produciéndose así un crecimiento en el matrimonio. Al mismo tiempo, la resolución de nuestros conflictos nos capacita para ser de ayuda y esperanza a otros matrimonios en medio de sus crisis.

Finalmente, decir que, de la misma manera que hay enfermedades físicas que no tendrán cura, pueden darse problemas en nuestra convivencia que, a pesar de haber luchado y haber buscado orientación, será imposible resolverlos. Tristemente, reconozco que existe esta posibilidad y que, en estos casos, la ruptura no es el peor de los males, y vale más que seguir adelante deteriorándonos o degradándonos como personas y haciendo sufrir a los miembros de nuestra familia y a los que nos rodean.

Teniendo en cuenta todo lo anterior, puede decirse que el pronóstico de resolución de los conflictos en el matrimonio dependerá de varios factores:

• Buscar ayuda, antes de que se produzca un mayor deterioro en la relación o se pierda la esperanza.

• La naturaleza y evolución del conflicto.

• La conciencia que el matrimonio tenga del conflicto y sus deseos de luchar por solucionarlo.

CAPÍTULO 5

La relación con las respectivas familias de origen: raíces y alas

"Por tanto, dejará el hombre a su padre y a su madre, y se unirá a su mujer, y serán una sola carne".

Génesis 2:24

"El matrimonio no es una unión tan libre y voluntaria como pueda parecer entre dos individuos, sino que es una conexión entre miembros provenientes de dos familias de origen, que, de forma inconsciente, se buscan, se encuentran y se complementan de forma homeostática".

Josep Araguàs

La familia de origen (en adelante F.O.), esto es, la familia de la que procedemos, es aquel microcosmos complejo de relaciones del que hemos formado parte. De todos los sistemas que existen en la sociedad, y de los que somos partícipes, la familia es el más poderoso, ya que nos afectará como ningún otro en nuestro funcionamiento físico, emocional y social.

En un sentido reducido, entenderíamos por F.O. una sola generación, es decir la relación con nuestros padres y hermanos. En un sentido más amplio, por F.O. nos referimos a tíos, primos, abuelos o incluso vecinos, es decir, personas que, de una forma u otra, han intervenido en nuestra educación o en algunas de nuestras circunstancias vitales. Aún en un sentido más académico, nos referiremos a la F.O. como un sistema de múltiples generaciones que engloba a esas otras que han influido en nosotros.

Por ejemplo, el hecho de que alguno de nuestros abuelos se quedara viudo, de que tuviera alguna adicción, enfermedad física o mental, o que incluso la herencia familiar por parte de los abuelos no se repartiera de forma equitativa entre sus hijos, ha podido marcar a toda la familia con matrimonios prematuros, cortes de comunicación, necesidad de emigrar, etc.

Cada matrimonio existe, pues, como parte de ese proceso múltiple, que es la fuente de su herencia física y psicológica.

De hecho, el matrimonio "junta, combina y encarna" dos sistemas familiares previos.

Siempre me gusta diferenciar al respecto entre *"predisposición"* y "determinación". No podemos ignorar que cada persona es una "creación única" y que cuenta con características diferenciales (forma de ser y de reaccionar). Por lo tanto, no estamos destinados a repetir o perpetuar de forma automática patrones familiares inter-generacionales. Pero siempre me llena de perplejidad observar cuán potente es el reflujo ejercido por la F.O. y sus correspondientes patrones familiares, que a menudo lleva a que algunas cuestiones se perpetúen.

Siempre recuerdo, con cierto estupor, aquel matrimonio que acudió a la consulta por miedo a acabar en divorcio, pues en su F.O., sus padres y muchos de sus familiares se habían divorciado. Trabajamos en la resolución de conflictos –al parecer con éxito-, pero en la actualidad este matrimonio está divorciado.

Existe una doble dimensión en cuanto a la influencia de la F.O. respecto al matrimonio.

Por una parte, la F.O. puede constituir para el nuevo matrimonio un referente, una fuente de energía, un apoyo en momentos críticos y una amplia gama de relaciones; pero, por otra, también es bien cierto que la F.O. puede constituir una causa de estrés, ya sea de forma aguda o crónica, en la vida de la pareja y puede elevar su ansiedad e interferir en su desarrollo y crecimiento.

De forma minimalista, podría afirmarse que el matrimonio existe gracias a:

1. La familia de origen.
2. El contexto social del que forma parte: la propia integración cultural, los amigos, los valores, etc.

Se casaron ya siendo mayores (unos 40 años). Él siempre había sido *"el ojito derecho de su madre"*: el confidente de su madre, quien se enfrentaba al mal humor de su padre, etc.

Cuando ya eran novios, aparecieron los primeros desencuentros entre la F.O. (de él) y ella:

- La encontraban "poca cosa" para su hijo.

- A ella, no le gustaba cómo la F.O. (de él) hablaban entre sí y de otras personas siempre que estaban en la mesa.

- Incluso se llegó a hablar delante de ella de "*ex novias*" que el hijo había tenido.

- *Me sabe muy mal que a él le falte tiempo cuando discutimos para telefonear a su madre. Sus padres están al corriente incluso de nuestros problemas sexuales.*
  Cuando su madre viene a casa, ni avisa previamente –ya que tiene llave-, y además se atreve a opinar sobre el orden de las cosas, las comidas que hacemos, nuestras salidas o incluso nuestras amistades.

- *El marido argumenta que su madre es muy buena mujer, que se siente desatendida en su matrimonio y que sólo pretende ayudar. Reconoce que le falta tacto para decir las cosas y a veces puede ser hiriente.*
  Enfrentarse con ella significaría proporcionarle un gran disgusto. Pide tiempo y paciencia para tratar la situación.

Material que el matrimonio incorpora de sus familias de origen

De hecho, antes del matrimonio, esto es, durante el noviazgo, ya suelen existir ciertas tensiones –que a veces llegan a ser conflictos- relacionadas con la F.O.:

- Con la aceptación o no del nuevo hijo/a. Antiguamente -y todavía en algunas regiones del mundo-, eran los padres quienes se encargaban del matrimonio de los hijos.

En Occidente, ya no es así, pero, con todo, los padres suelen opinar e influir acerca de la elección.

Hay familias que harán sentir al "recién llegado" como si estuviera en su casa y lo integrarán de forma sana, apreciando su presencia como un enriquecimiento a la familia. Pero, a veces, sucede justo lo contrario. Se hacen comparaciones con relaciones anteriores o se transmite la tensión y el desagrado con comentarios impertinentes o fuera de lugar.

- La "lucha por la influencia". Esta lucha se pone también de manifiesto en el noviazgo. "Es mi hijo contra es mi novio".

A medida que la pareja va entrando en una relación más íntima, lógicamente se pasa menos tiempo con la familia de origen y se distancia la comunicación.

Siempre les digo a los novios que han de saber trabajar como "espías dobles". Hablar bien de los padres a la pareja y, al mismo tiempo, hablar de la pareja bien a los padres; lo cual no implica mentir, pero sí ser sabio para mantener en equilibro las dos partes.

- Las tensiones que pueden derivar en conflictos suelen tener que ver con luchas de poder mal resueltas.

El tema de la vivienda. Dónde vivir (cerca o lejos de la familia de origen., si les agrada o no) y cómo financiarla (si la familia de origen ayuda, o incluso, pudiendo ayudar, no ayuda).

El tipo de celebración de la boda, la composición de la lista de invitados, la disposición de las mesas, etc.

Para ser conscientes de cómo los patrones aprendidos de la familia de origen juegan un rol importante en la dinámica del nuevo matrimonio, tendiendo de hecho a recrearse, existen algunas cuestiones que merecen nuestra atención, y sobre las cuales la nueva pareja tendría que reflexionar y dialogar:[1]

1. ¿Qué aprendiste acerca de ser marido/esposa? ¿Cómo se asumieron los roles en el matrimonio de tus padres?

2. ¿Cuánta cercanía/distancia física y emocional viste entre tus padres?

3. ¿Cómo manejaban tus padres la tensión, el enfado, la ira, y el conflicto? Negar el conflicto, no saber cómo manejar la ira.

4. ¿Mostraban tus padres su afecto/intimidad de una forma abierta? De hecho, muchos miedos existentes respecto a la intimidad provienen de la familia de origen.

5. ¿Cómo establecieron tus padres las prioridades acerca del yo, el matrimonio, los hijos y el trabajo?

6. ¿Hubo alguna crisis severa (trauma) entre tus padres: infidelidad, incesto, duelo no resuelto o problemas médicos y psicológicos?

7. ¿Qué aprendiste acerca de la intimidad entre tus padres?

8. También la familia de origen contribuye a la formación e interiorización de valores, creencias, coherencia, honestidad, etc. Por ejemplo, la actitud frente al trabajo.

Conceptos derivados de la familia de origen

a. Establecimiento de límites

El límite podemos definirlo como una línea invisible alrededor de nuestro "yo", que nos protege al mismo tiempo que nos otorga una identidad. Así pues, el límite resulta imprescindible para nuestra supervivencia psicológica, ya que, de no existir, las demás personas o las circunstancias impondrán sus dinámicas en nosotros. Esto se lo explico a las personas que acuden a mi consulta diciéndoles que es como una frontera que da identidad a un país, al mismo tiempo que protege su integridad territorial.

---

1 Weeks, G. and Treat, S. *"Couples in Treatment".* Brunner/Mazzel, Publishers. New York, 1992, pags. 14-15.

El límite nos permite explorar hasta dónde llegan nuestras atribuciones, nuestra energía, nuestros recursos, nuestro tiempo y nuestra responsabilidad. La inexistencia de límites o la excesiva fragilidad de estos suele ser un motivo frecuente de asistencia en psicoterapia, donde la persona lucha por su identidad, su autoafirmación y el ejercicio responsable de su yo.

Acostumbro a explicarlo con el ejemplo de la célula. La membrana permeable de la célula actúa como un límite que discrimina qué nutrientes pueden ser asimilados y cuáles deben ser rechazados. Si esta membrana fuera excesivamente permeable o impermeable, el núcleo de la célula estaría expuesto a la destrucción (ver fig. 9).

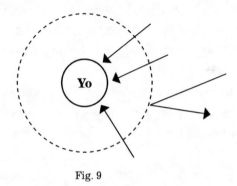

Fig. 9

Al igual que la persona, el matrimonio también necesita vivir dentro de unos límites para poder consolidar su identidad.

- Límites en cuanto al **trabajo**. Sobre todo, en la primera etapa del matrimonio resulta imprescindible no hacer del trabajo la primera prioridad. Saber desconectar física y emocionalmente. Cuántas veces la persona, ya nada más entrar por la puerta de casa, evidencia en su cara el clima laboral vivido durante la jornada.

- Límites en cuanto a las **amistades fuera del matrimonio**. Toda amistad fuera del matrimonio debe estar consensuada. No sólo se trata de límites físicos, sino también tecnológicos que derivan en contactos que podemos establecer por telefonía u ordenador. Saber establecer límites con amistades previas y, por supuesto, con novios/as anteriores al matrimonio.

- Límites en cuanto a los **hijos**. Mi convicción es que la mujer desarrolla un vínculo de maternidad con su hijo/a ya desde el embarazo, que plantea un reto en cuanto a esos límites dentro del matrimonio. Esto puede incluso aumentar en función de cómo se lleve la crianza. Se requiere de forma gradual un reequilibrio para poder tener una coexistencia saludable entre ambas relaciones.

- Límites en cuanto a las propias **familias de origen**. La relación con padres y hermanos debe variar necesariamente después de la boda. La pareja debe poder contar con un propio espacio físico y disponer libremente de este espacio. Pero, sobre todo, debe disponer de un espacio emocional y sexual donde experimentar su nueva intimidad e, incluso, un espacio existencial en el que marcar los objetivos que se desean alcanzar.

Teóricamente, nuestra familia de origen ha sido el lugar donde hemos aprendido a establecer límites y a respetar los de los demás, a diferenciar entre la existencia de límites y una actitud egoísta.

Todos precisamos de nuestro espacio, nuestra ropa, nuestro cuerpo, nuestras emociones, nuestros objetivos en la vida, que no necesariamente coinciden con los que querrían los demás. Idealmente, la pareja sana, en cuanto a límites, no es aquella que se fusiona –ya que ello la llevaría a la dependencia-, sino aquella que es la unión de dos personas con sus propios límites, y donde juntos se aprende a establecer límites como matrimonio.

a. Grado de diferenciación

Diferenciación significa "la capacidad de un miembro de una familia de poder ser él/ella mismo/a, ejecutar aquellas conductas que considera pertinentes y luchar por los objetivos que piensa que son válidos a pesar de la presión, la oposición o la desaprobación de los demás".

Poder decir "yo" cuando el sistema espera el "tú" o el "nosotros".

La diferenciación tiene que ver con nuestro proceso emocional interno y nuestra forma de operar en las relaciones íntimas. Este proceso ha sido forjado en nuestra familia de origen y de forma inevitable es trasladado a nuestra relación de pareja.

Características de la persona equilibrada:

- Persona que actúa más por reflexión que por reacción. Y está claro que es mucho más fácil el diálogo cuando hay reflexión y argumentación. En la mera reacción, siempre hay una respuesta ansiosa, impulsiva y primaria que imposibilita el proceso de argumentación.

- En clave de pareja, la reflexión posibilita la comunicación, el entendimiento y la resolución efectiva de conflictos; en cambio, la reacción impulsiva incrementa la tensión y distorsiona la perspectiva.

- La persona reflexiva tiende a centrarse más en sí misma, con lo cual mejora su autoconocimiento, su autoconcepto y su autoevaluación. Se llega a pensar en uno mismo de forma realista y con contentamiento. En cambio, la persona reactiva proyecta más en los demás aquello que es su propia responsabilidad. También queda más a merced de los demás la necesidad de agradar, de quedar bien, del qué dirán.

  En clave de pareja, la reflexión genera personas libres para amar, mientras la reacción crea personas propensas a la "dependencia emocional".

- La persona equilibrada sabe y controla sus circunstancias y cuál es su responsabilidad a lo largo de la vida.

  No cae en un exceso de responsabilidad ni busca el poder como refuerzo de su autoestima, y tampoco juega a hacerse el "héroe" para salvar a la familia, el sistema o el mundo.

- Es persona que asume responsabilidades de forma independiente y tiene un buen nivel de autodisciplina. Se ocupa de su persona en lo físico, lo emocional y lo intelectual.

Como señala el terapeuta Frank Pittman: *"Ni la vida ni la terapia pueden ser conducidas con éxito si no se asume una responsabilidad".*

En clave de pareja, se trata de personas que entran en una relación no por huir o por no asumir responsabilidad, sino para seguir creciendo.

- La persona equilibrada, ha aprendido a reducir el estrés, y por ello tiene más energía sobrante. Vive una vida más plena, satisfactoria, creativa y sana, ya que el estrés causa daños emocionales y psicosomáticos.

La persona con un nivel bajo de estrés acaba resultando más atractiva para ella y para los demás, ya que no trasmite ansiedad ni tampoco un conformismo enfermizo, sino que es alguien que, a pesar de los años o de las circunstancias, sigue luchando para alcanzar sus objetivos.

c. Triángulos

El concepto de triángulo tiene que ver con una situación en la que el proceso emocional entre dos personas atraviesa claramente por momentos de inestabilidad.

Cuando en esta relación dual se experimenta incomodidad, ansiedad o insatisfacción, se produce una tensión emocional.

Al llegar a este punto, la pareja está lista para la formación de uno o más triángulos. El triángulo sirve para estabilizar el proceso de relación. El triángulo se puede crear entre tres personas, eventos o cosas. La función de la tercera persona en el triángulo es la de proporcionar estabilidad sin cambio, diluir la tensión de la pareja y crear un foco de desplazamiento alrededor del cual marido y esposa pueden organizar su conflicto. El triangulo exterioriza el conflicto, pero también impide la resolución del problema. Por eso, paradójicamente, el triángulo es la mejor forma de mantener el problema, sin que éste se resuelva.

Ejemplos de triángulos frecuentes en el matrimonio serían:

Esposa-esposo-hijo (inmaduro, fracaso escolar, conductas inapropiadas).
Esposa-esposo-trabajo.
Esposa-esposo-artilugio electrónico (ordenador, televisor).
Esposa-esposo-familia de origen. (de alguno de los dos).
Esposa-esposo–amigos.
Esposa-esposo–adicción (sexual, juego, tóxicos).

Sólo existe una forma de salir del triángulo: el reto. El reto consiste en no asumir la responsabilidad de quien debería hacerlo. Esto supone un buen control de la ansiedad e incluso cierto sentido del humor, ya que la seriedad con que nos tomamos algunas cosas nos previene de ver nuestra posición en el mantenimiento del triángulo. Cuantos más triángulos hay en una familia, más problemas quedan por resolver. Y cuantos más triángulos confluyen en una persona, más estrés tiene dicha persona.

Pautas para una relación sana con nuestras familias de origen

a. Entender que se trata de un proceso, más que de un acto.
Siempre he comentado al respecto que, probablemente por influencia de la teología católica basada en la celebración de los sacramentos –como ritos puntuales y únicos-, el "dejar padre y madre" se considera más como un hecho puntual e instantáneo, que como un proceso gradual.

Resulta de mucha ayuda tanto a padres como a hijos, ser conscientes de que siempre existe "un proceso de duelo" al iniciarse el matrimonio. Este proceso implica que, de forma gradual, se va produciendo la aceptación de una nueva realidad: padres e hijos forman dos familias diferenciadas. Es una realidad irreversible, pero que, no implica en absoluto, una pérdida definitiva, sino un aprender a relacionarse de una forma distinta. Especialmente, el proceso es más doloroso cuando se trata de un hijo único, si el nido se ha vaciado, o si se trata de un hijo con el cual se 'conectaba' de forma especial.

El proceso de duelo se vuelve patológico por parte de los padres cuando este hijo "sostenía" al matrimonio; es decir, de alguna forma compensaba el déficit de relación entre la pareja, ya que entonces se produce un desequilibrio. También será una actitud disfuncional "culpabilizar" al hijo por su marcha de casa, no darle "la bendición", o el entrar en una relación de celos con el yerno /nuera.

De forma recíproca, los hijos también viven el proceso de duelo al dejar a los padres. Este proceso de duelo dependerá del grado de autonomía previo a la boda.

El ambiente familiar sano con padres o hermanos, la cultura de familia, los momentos felices y difíciles que se atravesaron juntos, todo ello es dejado atrás con cierta nostalgia. Por ello, resultaría patológico tanto comparar constantemente la anterior y nueva realidad familiar, como desconectar totalmente del pasado.

b. Establecer un principio de equidad

Establecer un principio de equidad equivale a tener la misma consideración y dedicar el mismo tiempo y energía a ambas familias de origen. Esto resulta difícil, ya que dependerá de cómo haya funcionado este principio de equidad durante el noviazgo, y cómo se haya ido resolviendo el grado de conflicto emergente en el noviazgo.

En la práctica, la familia de origen de la esposa suele arrastrar más al nuevo matrimonio que la del esposo. Habrá otros factores que podrán influir, como son la proximidad geográfica, la disponibilidad de los padres o incluso las creencias profesadas por los mismos.

c. Atmósfera de respeto

Los padres deben tener consideración y respeto por la persona que su hijo/a ha elegido como esposo/a. Por su parte, las nueras y los yernos deben tener consideración y respeto hacia la familia de la cual procede su esposo/a. Este respeto consiste en la ausencia de crítica, en no hablar mal, no difamar, no herir sentimientos, etc.

La honra y el respeto hacia los padres es una actitud que nunca debe prescribir, pudiéndose manifestar como en forma de cuidados y de afecto. Es muy importante tener, además, en cuenta que forma parte de aquellos fundamentos sobre los cuales se apoya toda sociedad.

> "Honra a tu padre y a tu madre, para que tus días
> se alarguen en la tierra que el Señor tu Dios te da".
>
> Éxodo 20:12

d. Inexistencia de deudas económicas con las familias de origen

Es muy bueno y conveniente que el matrimonio sepa desde un principio autofinanciarse, que cuente con un presupuesto y lo vaya adecuando a sus gastos y necesidades con precaución, lo cual es todo un signo de madurez y capacidad para la autonomía.

Es muy importante que su economía no esté basada en ayudas de sus familias de procedencia, ya que, de ser así, se está abocado al paternalismo económico y a la inmadurez correspondiente. Con todo, hay diferencia entre un préstamo puntual, justificado y documentado, y préstamos en dependencia permanente. En general, los intereses pagados a los padres suelen ser más altos, cualitativamente hablando, que los pagados a las entidades financieras (monetariamente) y con ello, además, se da pie a un cierto grado de inferencia por parte de los padres en las cuestiones económicas de la nueva pareja. Debe tenerse en cuenta que, aunque se devuelva el dinero prestado, siempre habrá "intereses emocionales" pendientes de saldar.

e. Valoración equilibrada de la familia de origen

"Hay un momento en la vida para poner punto final, saldar cuentas, perdonar. De otra manera no puede haber verdadera madurez emocional...

Liberando el rencor y sabiendo perdonar a nosotros mismos y a los familiares que pudieran habernos dañado..." [2]

---

2 Calle, R. *"De Padre a Hijo".* Artículo aparecido en "La Vanguardia". Septiembre, 2008.

Para realizar una valoración equilibrada de la familia de origen, se debe ser consciente del legado que nos han dejado, con objetividad, realismo, gratitud, perdón y misericordia. Se debe llegar a entender el porqué de algunas situaciones, y cuáles fueron sus consecuencias, así como tener la capacidad de ver y comprender el estado de la propia familia de origen., previo a la aparición de esas situaciones.

No hay familias perfectas. La valoración equilibrada de nuestras familias nos hará incorporar pautas sanas de relación, evitándose así caer en pautas de conducta perjudiciales.

f. Claridad en las prioridades
Priorizar es un ejercicio del *"yo"* de cada persona. Priorizar no quiere decir despreciar o descuidar, sino saber dar el valor apropiado a cada relación a lo largo de la vida.

El fallo a la hora de establecerlas hará que los demás o las circunstancias nos confeccionen nuestra propia agenda. Priorizar en el matrimonio supone dejar perfectamente claro quién es la primera persona en importancia para el esposo o esposa.

Priorizar es un proceso que hace falta trabajar para que todos lo lleguen a asumir ciertas cuestiones:

• Cada esposo adquiere la responsabilidad de tratar con su propia familia biológica y trabajar para conseguir una conexión saludable y funcional con ellos.

• Ninguno de los dos esposos corta con su propia familia biológica y se deja asimilar por la familia del otro, ya que esto equivaldría a renunciar a sus propias raíces.

• Los asuntos del matrimonio deben ser tratados con confidencialidad y respeto a la intimidad.

CAPÍTULO 6

La sexualidad: metáfora del matrimonio

"La mujer no tiene potestad sobre su propio cuerpo, sino el marido;
ni tampoco tiene el marido potestad sobre su propio cuerpo, sino la mujer".

1ª Corintios 7:4

"Mi cuerpo es casi tuyo,
tu cuerpo es casi mío.
Dos islas que se buscan entre la niebla.
El sol puede mentir,
el mar puede engañar.
Todo puede ser mentira,
pero nosotros somos verdad".

Celine Dion, "Si tu eres mi hombre y yo tu mujer"

Siempre ha resultado difícil o incómodo hablar de la sexualidad con naturalidad. Un ejemplo de ello puede verse en la gran variedad de términos que existen para designar el pene, la vagina o el coito en cada familia y en cada cultura. Aun cuando estamos hablando de uno de los temas que más contribuyen a la felicidad y al bienestar de las personas, a menudo las personas lo asocian con sentimientos de vergüenza.

De hecho, sin la sexualidad, la intimidad entre hombre-mujer permanece incompleta. La unión de los cuerpos, la satisfacción del deseo profundo de amar, el placer de entregarse voluntariamente al otro, el acoger con ternura el ofrecimiento de la otra persona... Todas estas vivencias son inalcanzables sin la experiencia de una sexualidad sana.

Mi experiencia con la mayoría de parejas que acuden a terapia es que les cuesta hablar acerca de su propia sexualidad. Aunque, con frecuencia, constituye el tema principal de consulta, sólo aflora en las sesiones una vez se ha establecido un clima de confianza y de aceptación.

Probablemente, esta situación, se deba a una combinación de varios factores:

a) La gran mayoría de nosotros nunca recibimos información ni educación acerca de la sexualidad, ni por parte de nuestros padres, ni de la escuela, ni de la iglesia. Por lo tanto, carecemos de modelos o referentes educativos.

b) Socialmente, en los últimos años en nuestro país, nos hemos movido de forma pendular entre los extremos: represión y 'destape' permisivo. Lo cual nos ha incapacitado para asumir la sexualidad con mayor naturalidad.

c) Más íntimamente, muchos de nosotros hemos asociado la sexualidad a sentimientos de culpa y de vergüenza, más que a sentimientos positivos y saludables. No ha habido una integración de la sexualidad en nuestro desarrollo psicológico ni espiritual.

La sexualidad es parte esencial en la intimidad de la pareja. Es un lugar de profunda satisfacción y placer, pero que también puede llegar a ser lugar de dolor, frustración y sufrimiento. Es algo que se quiere y se anhela, al mismo tiempo que es algo que se teme y se evita.

La sexualidad es uno de los mejores termostatos con que la pareja cuenta para recibir información acerca de su estado de salud. De hecho, algunos terapeutas sugieren a la pareja que escenifique durante la sesión una escultura de cómo se abrazan en la intimidad, ya que esto le va a proporcionar muchos datos para poder interpretar cuál es la dinámica con que funciona la pareja acerca de quién domina, quién se resiste, quién se entrega, quién sufre, etc.

Cualquier disfunción en la comunicación, cualquier herida emocional, cualquier idea perturbadora y, por supuesto, cualquier problema psicológico van a crear un impacto en la sexualidad. La dimensión del impacto va a depender de la conciencia del problema, y de la prontitud y el deseo de solucionarlo que ambas partes tengan. El impacto puede llegar a producir fractura y una disfunción seria en la sexualidad de la pareja.

De forma muy sintetizada, puedo decir que en nuestra sociedad la sexualidad se encuentra vinculada a tres ejes:

- El eje del dinero

El sexo es un negocio rentable, que mueve mucho dinero alrededor del mundo, más que el tráfico de armas o, incluso que, el comercio de drogas. Redes mafiosas y personas sin escrúpulos han convertido a muchas mujeres de países pobres en esclavas sexuales.

El llamado *"turismo sexual"*, la prostitución y la multitud de locales de alterne sexual hacen que la sexualidad sea un producto a consumir, y que se disocie constantemente de todo tipo de relación personal.

También la utilización de las nuevas tecnologías ha servido para difundir y propagar de forma global una imagen del sexo totalmente desvirtuada, falsa e incompleta.

Por supuesto, ningún producto se puede comercializar sin la complicidad de los consumidores, lo que implica que hay personas que están dispuestas a pagar dinero para obtener un sexo rápido, sin compromiso y sin ninguna responsabilidad.

- El eje del placer

El sexo es utilizado para la obtención inmediata del placer. Es obvio que la sexualidad tiene un componente de placer, aunque no se trata del único.

En una sociedad altamente ansiosa y adictiva como la nuestra, la búsqueda incesante e inmediata del placer, hace que la sexualidad se reduzca casi a eso. Tan solo hace unos años, la psicología consideraba como *"desviaciones sexuales"* (no solo desviaciones de la norma estadística, sino de la sana práctica sexual) toda una serie de conductas sexuales, que en los últimos años se pretende que sean asumidas como normales.

Me estoy refiriendo a:

- Prácticas sadomasoquistas: el placer se alcanza sufriendo o infligiendo sufrimiento.

- Prácticas fetichistas: el placer sexual se desplaza a un objeto, más que a una persona.

- Prácticas voyeristas: el placer sexual está en espiar conductas sexuales de otras personas o su desnudez, con miradas furtivas.

- Prácticas sexuales que incluyen a otras personas: tríos, intercambios de pareja o sexo en grupo...

Todas estas prácticas se dan, y se presiona para que sean admitidas, debido a que se ha priorizado el placer por encima de cualquier otro valor y concepto.

Este en un hecho lamentable, y lo cierto es que esas prácticas siempre demandan ir más lejos de lo que se consiguió la última vez, y pueden ser el primer paso de una sucesión que puede llegar a aberraciones aún más perversas. Por supuesto, en este tipo de prácticas, siempre se obvia la dignidad de la persona, su salud mental o el hecho de considerar la sexualidad como una expresión de relación personal profunda en auténtico amor.

Todo eso está suponiendo un auge exponencial de la adicción al sexo de forma no sana. Probablemente, este tipo de adicción sea la que más crece entre la población masculina de los países más desarrollados económicamente. Actualmente, existen personas que viven por y para el sexo, personas que reducen su campo de intereses y organizan su vida en función del sexo.

- El eje de la idolatría
Desde antiguo, ya en el paganismo la sexualidad estaba vinculada a la espiritualidad. El éxtasis, el poder y el sentido de trascendencia (tanto por el placer como por la fecundidad) han hecho que la sexualidad sea considerada por muchas personas como una forma de religión.

En la actualidad, una sociedad como la nuestra, sin Dios y sin absolutos, posibilita convertir aquello que es relativo, finito y temporal, en el nuevo absoluto válido. Inconscientemente, se busca, a través de la sexualidad, un sentido de trascendencia y una vivencia de la intimidad.

Dado que la sexualidad apela a la vida instintiva de las personas, tiene poder para controlar la conducta de las personas y jerarquizar sus valores.

El siguiente caso que presento es un buen ejemplo de cómo las parejas intentan hacer una síntesis de diferentes conceptos acerca de la sexualidad. Se trata de un matrimonio de mediana edad. Ambos tienen un buen nivel intelectual y cultural. Acuden al psicólogo por la inmensa tensión con la que viven la relación de pareja:

"- Sé que los hombres y las mujeres tenemos muchas diferencias...
Pero nunca me he sentido entendido por ella.
Yo siempre tengo una mayor demanda sexual que ella; de hecho, si no fuera por mí, ya no tendríamos sexo –sentencia el marido–.
- Ya no me siento enamorada de él, me falta pasión por él.
No estoy segura de querer seguir viviendo a su lado.
Él me dice que necesita ver películas pornográficas y mantener conversaciones eróticas en chats para sentirse en forma y así complementar la baja frecuencia sexual en el matrimonio.
Pero lo cierto es que, cuando tengo sexo con él, muchas veces me da la sensación de que hay que tenerlo para rebajar su ansiedad y, otras veces, me hace sentir como una prostituta –explica ella–.

Características esenciales de una sexualidad sana

La sexualidad es integrada en lugar de disociada
Una sexualidad sana es, sobre todo, una "sexualidad integrada".

Esta integración se da a dos niveles:

a. Un nivel de integración intrapersonal
La sexualidad no existe de forma independiente o disociada a todo lo que es la persona. No es un anexo o un compartimiento que activamos en determinados momentos o épocas de nuestra vida.

No se trata de que la persona *"tenga"* una sexualidad, sino de que *"sea"* sexual. La sexualidad está conectada con sus emociones, con sus sentimientos, con sus valores y con sus vivencias.

No en vano, se argumenta que el órgano sexual más importante es la mente, ya que todo aquello que almacenamos y sentimos a través de nuestra mente va a afectar a nuestro desarrollo sexual.

b. Un nivel de integración interpersonal

La sexualidad implica mucho más que la vida instintiva. La sexualidad no se activa sólo como respuesta a estímulos, ni fluctúa en función del celo o impulsos, sino que es en esencia una forma de vincularnos para poder expresar vivencias muy profundas.

Es decir, la sexualidad forma parte de un compromiso estable entre dos personas que dicen amarse, lo cual confiere seguridad e incondicionalidad; y también está enmarcada en una relación de compañerismo y amistad profunda, lo cual predispone al entendimiento y a la resolución de los problemas que vayan surgiendo.

El matrimonio no es la tumba del amor, sino justamente el tipo de unión que permite darle al amor una dimensión mucho más rica que el sexo casual o temporal.

Una "sexualidad disociada" estará desvinculada de un compromiso serio o de una relación profunda, y obedecerá más a los impulsos biológicos o a estados emocionales; con lo cual, la sexualidad, por muy placentera que resulte, carecerá de un fundamento estable.

Lamentablemente, nos encontramos con una gran presión sexual, donde la mayoría de las personas se inician sexualmente en la adolescencia temprana, y donde la virginidad se considera obsoleta y enfermiza. De alguna forma, se equipara sexualidad a intimidad, disociándola de otros aspectos fundamentales de la intimidad.

La sexualidad se vive con total libertad, pero con escaso sentido de responsabilidad, ya que otros aspectos de la intimidad como la relación personal o el compromiso se diluyen o postergan hasta la vida adulta bien avanzada.

- La sexualidad es relacional en lugar de autoerótica

A menudo, trabajando con parejas, ocurre que alguno de los dos –con frecuencia el hombre- mantiene conductas auto-eróticas concomitantes con la sexualidad de pareja. Son conductas destinadas a procurarse placer por sí mismo, excluyendo de tales conductas a la otra persona.

En las mujeres, en cambio, estas conductas auto-eróticas coexisten en forma de fantasías.

Siempre he considerado este tipo de conductas como una disfunción, a no ser que alguna enfermedad del cónyuge imposibilite tener una sexualidad de pareja, ya que a través de estas prácticas:

• Se niega la esencia de la sexualidad: el encuentro tú-yo.

• Se elige la descarga impulsiva, como una vía simplificada de la compleja sexualidad humana, lo cual siempre deja un sentido de vacío y de ausencia de realización.

• Hasta cierto punto, se trata de *"una infidelidad de baja intensidad"*, en el sentido que se oculta algo, se recurre a fantasías eróticas con otras personas, imaginarias o virtuales, y además suele acompañarse de pornografía.

  A medida que se instaura el autoerotismo, se torna más difícil la sexualidad con una pareja *"real e imperfecta"*, es decir, una relación que hay que trabajarse.

• En términos homeostáticos, esta conducta autoerótica completa la sexualidad que pueda faltarle a la relación de pareja, lo cual conduce a una disfunción matrimonial. En casos extremos, incluso disminuye o hasta anula la sexualidad propia y natural del matrimonio.

- En la base de tales conductas casi siempre suele haber algún trastorno psicológico: personalidades inmaduras que tienden a una sexualidad asimismo inmadura, trastornos de personalidad que hacen más fácil la relación imaginaria que la relación personal, o personalidades ansiosas que utilizan la sexualidad como un calmante ante las tensiones.

Llegados a este punto, cabe destacar que existe una alta incidencia de personas, normalmente hombres, con un trastorno de adicción sexual. Quienes lo sufren organizan su vida en torno a un deseo sexual excesivo y absorbente, y ello por causa de las motivaciones y los horarios. Su sexualidad se mueve por un deseo narcisista, en el que impera un placer inmediato y a corto plazo, donde lo que se busca es el orgasmo e incrementar la sensación de dominio. Cuando se satisface, se produce un alivio de tensión, un apaciguamiento y un cese del malestar psicológico previo. Como todo trastorno adictivo, tiende a disimularse, a ocultarse, a negarse y a racionalizarse. Pero cada vez irá a más. Suelen aparecer efectos nocivos a nivel personal, profesional y de pareja.

Además, necesario es apuntar que los avances tecnológicos como el móvil, las líneas eróticas e Internet, han potenciado que la expresión de la adicción sea cada vez más sofisticada.

La sexualidad es algo a compartir
Como derivado lógico del carácter relacional de la sexualidad, está su mutualidad, es decir, su esencia recíproca, y ello en el sentido que supone una actividad conjunta, con un dar y un recibir entre dos personas.

Un dar y un darse a sí mismo a la otra persona que ha de ser sin reservas y sin condiciones. Un recibir a la otra persona, acogiéndola en lo más íntimo de nuestro ser, para que pueda sentirse entrañablemente deseada y amada. La sexualidad implica ese encuentro existencial, ya mencionado con anterioridad, entre un *"tú"* y un *"yo"*.

Siempre he rechazado la expresión "sexo opuesto". Me pregunto, ¿opuesto a qué? No se trata de oposición, sino de complementariedad.

La sexualidad de pareja supone podernos reconciliar con aspectos masculinos o femeninos de los que carecemos y que la otra persona nos ofrece para nuestro enriquecimiento.

Cuando el hombre y la mujer se aman y se unen, reflejan una imagen más completa de lo que significa la humanidad y también un reflejo más veraz de un Dios que no puede ser asociado exclusivamente a la masculinidad o a la feminidad. Un Dios que, esencialmente, es amor, pero que al mismo tiempo es diverso y que se relaciona en reciprocidad.

La otra persona es mi otro yo, alguien frente a quien estar, dialogar y amar... Por eso, ya desde antiguo, la Biblia utiliza el verbo "*conocer*" para referirse a las relaciones sexuales. Un conocimiento en el cual están implicados los sentidos y los instintos, pero que conduce a un nivel más profundo de la experiencia, donde, sobre todo, conozco a la persona en función de comunicación emocional.

El hombre y la mujer se reconocen sólo cuando están uno ante el otro. Ambos tienen un origen común y, al mismo tiempo complementario.

La sexualidad crea intensa satisfacción
La sana sexualidad contribuye de manera firme al bienestar de la persona, en diferentes niveles, haciendo a las personas más felices, más equilibradas emocionalmente y más creativas en todas sus actividades.

Por el contrario, la represión de la sexualidad o el ejercicio insano de la sexualidad, provoca tensión, frustración, agresividad, amargura...

En un mundo estresante, competitivo, individualista, orientado al éxito y al interés, como es el nuestro, poder encontrar en la sexualidad un oasis donde se nos permite ser nosotros mismos, sin tener que demostrar nada, sin competir con nadie y pudiendo profundizar en nuestra intimidad, es toda una bendición que no hay que desaprovechar.

El largo camino para llegar a ser excelentes amantes

La sexualidad que abarca todas las fases

Lo sano y natural es que las parejas mantengan una sexualidad regular, satisfactoria para ambas partes, y creciente en calidad a lo largo de sus vidas.

La respuesta sexual humana, que, como hemos dicho, integra aspectos emocionales (seguridad, afecto, entrega), biológicos (descanso, estrés, regulación hormonal) y ambientales (tranquilidad, intimidad), se da a lo largo de un proceso, en el cual podemos distinguir cuatro fases (ver fig. 10). Son fases correlativas, en el sentido de que hay un orden establecido, en el que la consecución de una lleva de inmediato a la siguiente.

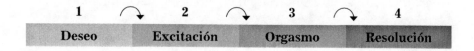

1	2	3	4
Deseo	**Excitación**	**Orgasmo**	**Resolución**

Fig. 10

Deseo

Es la primera fase en la respuesta sexual y sería el equivalente al motor de arranque en un automóvil. Es inútil continuar adelante si ambos cónyuges no están en esta fase. Se trata de una fase psicológica, donde se engendran pensamientos, sensaciones y fantasías sobre la actividad sexual, con el deseo de llevarlas a término.

Excitación

Es la traducción somática del deseo. Conlleva una sensación subjetiva de placer que resulta imparable y creciente. El cuerpo responde por medio de señales visibles al deseo sexual.

En el caso del hombre, la excitación casi siempre será más rápida que en la mujer y podrá relacionarse más directamente a estímulos visuales, olfativos o táctiles; mientras que la mujer responderá, además de a éstos, a estímulos verbales.

Se da una mayor irrigación en los genitales, al mismo tiempo que un aumento de su volumen (tumescencia), lo cual posibilita la respuesta eyaculatoria y el acoplamiento de forma placentera.

Orgasmo

Es el punto culminante de la respuesta sexual. Es como ese momento en que el avión sale a pista de despegue con todo su potencial y levanta el vuelo hacia el firmamento.

Supone: a) eliminación de la tensión sexual; b) contracción rítmica e involuntaria de los músculos del perineo y de los órganos reproductores; c) y, sobre todo, un dejarse ir, un no querer controlar la propia respuesta sexual, sino dejarse llevar por el encuentro.

Por eso se da la sensación de inevitabilidad eyaculatoria en el varón y las contracciones involuntarias en la pared vaginal de la mujer.

Resolución final

Fase de relajamiento muscular y bienestar general. Momento en que la pareja continúa la sexualidad más allá del placer genital obtenido, interactuando entre sí.

Muy acertadamente, el sexólogo A. Bolinches llama a esta fase: "*La afectividad post-orgásmica*".[1]

La pareja se gratifica con el abrazo, con la ternura, con el lenguaje de complicidad, con el reconocimiento del disfrute dado-y-obtenido, reforzando así una sexualidad más relacional y profunda que la que ofrece la genitalidad.

Dado que la mujer asocia más la sexualidad al afecto y el varón a la consecución del orgasmo, en muchas ocasiones las mujeres demandan de sus maridos cierta continuidad en la relación que ellos no conceden, ya sea porque se van al cuarto de baño o, sencillamente, se duermen.

---

1 Bolinches, A. "*Sexo Sabio*". Ediciones Grijalbo. Barcelona, 2001, pág. 49.

Aunque los varones suelen ser refractarios fisiológicamente a la erección, y necesitarán un tiempo para volver a tener una respuesta sexual, las mujeres pueden responder casi inmediatamente a una nueva estimulación, y reiniciar así el ciclo.

Las parejas pueden llegar a experimentar alteraciones y problemas en cualquiera de estas cuatro fases. Cuanto más cercano esté el problema o la alteración al principio de la respuesta sexual, más costará corregirlo y solucionarlo.

De forma general, la solución no vendrá tan sólo por una de las partes de la pareja, sino que implicará que ambos cónyuges trabajen y colaboren. Es importante que en la pareja no se culpabilice entre sí –es algo que divide y debilita y hasta anula todo posible esfuerzo-, no pospongan el luchar por la solución de su caso –ya que esto lleva a perder la esperanza- y no se busquen soluciones externas al problema –a no ser la consulta con un profesional-.

En mi experiencia, el pronóstico en materia sexual suele ser siempre bueno, salvo que haya causas muy profundas que impidan su resolución (trastornos mentales graves, abusos o violaciones no resueltas, u homosexualidad latente o asumida).

Disfunciones más frecuentes en la respuesta sexual

No pretendo en absoluto incluir en este apartado del libro un texto sobre "terapia sexual"[2]. Tan sólo me gustaría nombrar las anomalías, dentro de lo que se entendería por funcionamiento normal y aceptable, que aparecen con más frecuencia en las consultas, y ello con el propósito de que la pareja se pueda sentir animada a afrontarlas –si es el caso- y a trabajar en su resolución, para poder disfrutar así de una sexualidad más rica, sana, y placentera.

A lo largo de su existencia, la pareja generalmente experimentará altibajos en su sexualidad producidos por:

---

2 Kaplan, H. *"Manual de Terapia Sexual".* Ediciones Grijalbo. Barcelona, 2001.

- Factores externos (embarazo, nacimiento de un hijo, cambios hormonales).

- Patrones típicos que se pueden perpetuar en cuanto a la diferencia de ritmo sexual (habitualmente, el hombre requiere una mayor frecuencia de actividad sexual que la mujer).

- Afrontar la rutina en sexualidad y saber dinamizarla de forma creativa, adaptándola al ciclo vital de la pareja.

- Periodos de anorexia sexual: esto es, falta progresiva de deseo sexual, y a veces hasta desgana total.

Cito a continuación las alteraciones y problemas de disfunción que he observado con más frecuencia:

- **En los hombres**

  a. Impotencia (problemas en la erección)
  Es la diferencia entre el deseo y la realización y disfrute del orgasmo, y supone una disminución del impulso sexual. La erección es difícil, porque hay un fallo en el reflejo neurovascular.

  Aunque suele ser una anomalía de función de índole estrictamente psicológica en un 85% de los casos, también se tiene que descartar su posible causa orgánica, lo que significa que ésta venga producida por enfermedades neurológicas, lesiones en el propio pene (uretra, vejiga o próstata pueden causar molestias en el coito), dosis elevadas de alcohol u opiáceos o de algunos fármacos prescritos para tratamiento del sistema nervioso.

  b. La eyaculación precoz
  Se define como un control inadecuado de la eyaculación. Es un trastorno frecuente y muy frustrante. La persona no es capaz de controlar suficientemente el reflejo eyaculatorio, aun antes de iniciar el acto sexual ya se eyacula (apenas se excita),

o puede ser que no controle sus respuestas lo suficiente como para satisfacer a su esposa.

En este caso, el hombre, necesita aprender a controlarse. Si no, lo que sucederá es que el clímax ha sido rápido para él pero insatisfactorio para ella, con lo cual la relación sexual acabará siendo frustrante para ambas partes.

c. El deseo sexual inhibido o hipoactivo

Para mí, siempre ha resultado la alteración más difícil de tratar. Implica una ansiedad aguda –aunque a veces está oculta- y suele involucrar desordenes psíquicos internos y trastornos maritales. Puede haber daño infantil o causas ocultas a las propias personas.

El deseo sexual inhibido significa la ausencia o pérdida global del deseo sexual, lo cual conlleva la imposibilidad de iniciar el encuentro sexual. La persona que la padece se evade, da excusas, evita situaciones de intimidad e incluso llega a proyectar culpa en la pareja.

La pareja sufre una crisis grave en su autoestima, que a menudo cubre con el silencio enmascarando una vergüenza. En algunas ocasiones, la parte sana de la pareja iniciará otra relación sexual con una tercera persona, en un intento consciente o inconsciente de sentirse amada y normalizar su vida.

En las parejas en las que el marido sufre este trastorno siempre se ha dado una bajísima frecuencia de encuentros sexuales desde el principio, pero con el tiempo suele ir descendiendo aún más. Incluso, en los casos más graves, puede suceder que, ya desde el principio, no haya habido nunca un encuentro sexual completo.

Un caso: Son un matrimonio que llevan diez años de casados. Acuden debido a la depresión de ella.

La esposa, entre sollozos, explica que tienen relaciones sexuales cada tres o cuatro meses después de que ella haya insistido.

"Me he comprado ropa provocativa, he probado acercarme a él de mil formas: con zalamerías, con romanticismo, con caricias físicas...

Casi me he convencido de que tengo algún problema.

Ahora he estado a punto de tener sexo con un compañero del trabajo que me encuentra atractiva y, además, sentimos una atracción mutua".

- **En las mujeres**

a. Vaginismo

Es un trastorno de fácil solución, pero que puede dificultar y hasta impedir las relaciones sexuales y que, de no resolverse, puede generar mayores trastornos en el futuro.

Lo que ocurres es que se da una contracción involuntaria en la entrada de la vagina, tensándose los músculos, de forma que se impide una penetración normal, resultando ésta molesta y dolorosa.

b. Anorgasmia (ausencia de orgasmo)

Implica la dificultad en disfrutar del orgasmo. Algunas veces, puede tardar años en aparecer y, en otras ocasiones, sólo se da después de una prolongada estimulación.

Al igual que la eyaculación en el hombre, el orgasmo en la mujer también es un reflejo. Las mujeres presentan un umbral muy diferente de respuestas frente al orgasmo. Podemos encontrar desde mujeres que por pura fantasía y leve estimulación reaccionan, hasta mujeres que necesitan ser largamente estimuladas para poder responder.

En general, la inmensa mayoría de las mujeres suelen gozar de sensaciones eróticas y presentan en alguna medida vaso-congestión, esto es, irrigación de la zona nerviosa correspondiente, lo cual implica no sólo que están respondiendo positivamente al estímulo, sino también que pueden evolucionar de forma satisfactoria con la ayuda de su pareja.

c. Frigidez

Aunque es un trastorno poco frecuente, e históricamente se ha diagnosticado de forma errónea, sí que existe y se da cuando la mujer no experimenta sensaciones eróticas, ni placer sexual.

No hay signos de excitación fisiológica (persiste, por ejemplo, la sequedad de la vagina), aunque la persona sea estimulada.

Puede haber diferentes actitudes ante el hecho: desde un pequeño disfrute por la actividad erótica, pasando por la neutralidad, hasta un aborrecimiento de la sexualidad, es decir, una aversión total hacia todo contacto y actividad sexual.

Se trata de un tema profundo, de difícil resolución y con muchos interrogantes, incluso para la propia persona.

La construcción de una sexualidad propia

De forma parecida a lo que comentábamos sobre el carácter de la pareja, una vez trascendía a los ciclos de la intimidad, sucede algo similar también en la sexualidad.

Cada matrimonio tendrá una sexualidad propia (idiosincrásica y con características exclusivas) según la cual, después de miles de encuentros, aprenden a ser amantes expertos y únicos el uno para el otro.

Los términos *"aprendizaje"* y *"crecimiento"* son términos asociados a la sexualidad. Toda pareja ha de poder mirar hacia atrás con la sensación de que han salvado obstáculos y han crecido juntos en su *"trayectoria sexual"*. Algunos llegaron al matrimonio con falta elemental de información sexual, otros con deformaciones grotescas en cuanto a la sexualidad, con tabúes, temores, dolorosas heridas o con actitudes profundamente egoístas.

La sexualidad, así como los demás ingredientes del matrimonio, no es algo que se consigue sin esfuerzo, sino que, tal como ocurre con las otras dimensiones de la intimidad, va creciendo y madurando y perfeccionándose a lo largo de la vida.

La pareja lucha a lo largo de su existencia a fin de lograr un buen acoplamiento sexual: entrega mutua, sensibilidad hacia la otra persona, no utilización de la sexualidad como un arma, mejora de las técnicas, etc.

La sexualidad supone todo un acto de revelación, en el sentido de que la persona se descubre a sí misma y también adquiere un conocimiento del otro, quedándose desnudo el ser más reservado e íntimo de cada uno.

La pareja debe aprender a lo largo de su existencia a establecer un *"código de relación sexual"*: el ritmo de los encuentros sexuales, los gustos, las fantasías, las expectativas, las iniciativas, la creatividad, etc., prevaleciendo siempre un sentido de dignidad y satisfacción mutuo.

Con frecuencia, la pareja debe aprender que la diferencia de ritmo no debe servir para culpabilizar al otro, ni para herirlo, y deberán efectuarse los ajustes necesarios para que ambos se sientan satisfechos. *"No podemos pedir que uno tenga relaciones que no desea, ni que el otro reprima parte de las que necesita"*. [3]
Estoy de acuerdo en que *"forzar"* y *"reprimir"* son verbos más apropiados del ciclo de contracción, que no del de acomodación (usando la teoría de ciclos de intimidad), y en que nunca llevarán a un buen entendimiento. No obstante, negociar, entender su forma de funcionar o ser sensible al otro miembro de la pareja sí que son actitudes que nos harán crecer en nuestro entendimiento sexual.

Por último, quisiera compartir un concepto que a veces he usado en diferentes seminarios con matrimonios hablando de la sexualidad, y es el de la *"escalera sexual"*.

3 Bolinches, A. *"Sexo Sabio"*. Ediciones Grijalbo. Barcelona, 2001, pág. 42.

En un época de "productos-milagro" y soluciones rápidas como la nuestra, me gusta decirles a las parejas que existe un afrodisíaco infalible para mantener una sexualidad viva y rica. Se trata de la *"escalera sexual"*. Antes de que me pregunten en qué tienda o catálogo se puede conseguir, les advierto de que no se trata de un objeto ni de un bien consumible, sino de una actitud hacia la pareja y de una visión amplia de la sexualidad.

La razón por la que muchas veces la sexualidad en el matrimonio se torna rutinaria, insípida y aburrida es debido a que se ejerce de forma mecánica, rápida y previsible, y, además, se centra en la última fase: la genitalidad o el coito.

La *"escalera sexual"* consiste en volver a incorporar a la sexualidad de pareja aquellas pautas o ingredientes que tenían que ver con el compañerismo, la amistad, el romanticismo, lo sorprendente y lo progresivo en cuanto al acercamiento sexual.

De acuerdo con la pareja, se pacta una escalera progresiva de facetas o aspectos (de menos a más intenso), por medio de los cuales la pareja vuelve a redescubrirse. Estos aspectos pueden incluir pasear juntos, darse sorpresas, escribirse notas, pasar solos un fin de semana, manifestar afecto y ternura, hablar con claridad de temas que se sienten, hasta llegar a disfrutar del encuentro sexual.

CAPÍTULO 7

Crecer juntos en intimidad

"Y estaban ambos desnudos, Adán y su mujer,
y no se avergonzaban".

Génesis 2:25

"Si, alguna vez, dos personas llegaron a ser una, estas fuimos
nosotros.
Si, alguna vez, un hombre llegó a ser amado por su esposa, ese
fuiste tú.
Si, alguna vez, una esposa fue feliz con un hombre, esa fui yo…
El amor que tengo es tal, que de ninguna manera lo puedo
compensar.
Pido a los cielos que te recompensen con sobreabundancia.
Mientras vivamos, perseveremos en este amor,
para que, cuando ya no vivamos más, sigamos viviendo por
él para siempre".

Bradstreet, A.[1]

La intimidad es el anhelo más profundo que habita en el corazón de todo ser humano que viene a este mundo. Es un anhelo intenso, precioso, potente, terapéutico y, al mismo tiempo, muy frágil.

Se trata de un concepto fundamental para entender todas las relaciones personales, pero en especial las relaciones de pareja. De hecho, podríamos resumir que uno de los objetivos esenciales del matrimonio es "llegar a gozar de una buena intimidad a lo largo de su existencia". El matrimonio ofrece la mayor de las oportunidades para satisfacer la necesidad de intimidad, ya que en él se dan aquellas condiciones para que esta pueda alcanzar su mayor desarrollo: compromiso, cercanía (física, emocional y sexual), amistad, profundidad, intensidad, complementariedad…

El diccionario nos muestra que algo "íntimo" es aquello que sale de muy adentro, que tiene que ver con el fondo, con un contacto estrecho. A nivel de la relación, me gusta definir la intimidad como "aquella capacidad que posee la pareja de sentirse cerca el uno del otro, al mismo tiempo que se sienten seguros". Para gozar de una buena intimidad, la pareja debe aprender a profundizar en sí mismos y en su relación.

---

1 Bradstreet, A. (1612-1672). Citado en *"To my Dear and Loving Husband".* Stewart, Tabori & Chang, Inc. New York, 1989.

Con todo esto, no me estoy refiriendo a la intimidad como a una emoción transitoria, ni siquiera a un sentimiento profundo o una sensación, sino a una experiencia vital plena. La intimidad se parece a un diamante, en el sentido de que tiene muchas caras. Cada matrimonio la encontrará de formas muy variadas y complementarias: paseando, cenando, conversando, orando, apasionándose sexualmente... Para todas las parejas, la auténtica intimidad consiste en la experiencia de poder contar con el otro en tiempos de necesidad, de entenderse mutuamente y saber perfectamente que jamás se recibirá daño alguno de la persona a la que se ama.

En este caso, se trata de un matrimonio con un trayecto de veinticinco años juntos, pero sin que hayan sabido experimentar en todo ese tiempo la satisfacción que produce *"vivir en intimidad".* Ella es la primera en hablar:

"Me siento enfadada, defraudada, estafada por todos estos años transcurridos...
Tenemos gustos y aficiones muy diferentes.
Somos dos polos opuestos...
A mí me gusta llegar al fondo de las cosas, vivir y compartirlo todo.
Él me oculta cosas. Apenas habla. Su vida es el televisor y el ordenador. Todo se lo guarda para sí.
Siguió él:
Me siento deprimido, fracasado en mi matrimonio...
Ella continuamente quiere más diálogo, como si siempre necesitara más que yo en todo.
Me gustaría llegar al fin del camino los dos juntos, pero no sé si lo vamos a conseguir...
Reconozco que siempre me ha costado desconectar de mi trabajo y poner límites a mis actividades por cuenta propia.
También es cierto que compro cosas sin consultarlo con ella".

Los matrimonios de estas características quedan definidos por sus diferencias estructurales en cuanto a la personalidad, casi siempre por oposición:

- Ella es activa — él es pasivo.
- Ella es intensa — él es discreto.
- Ella es extrovertida — él es introvertido.
- Ella afronta los problemas — él lo soslaya o los niega.
- Ella es ahorrativa — él es comprador compulsivo.
- Ella es sensible y romántica — él es frío y poco detallista.

Y así, van transcurriendo los años y sucede que les cuesta enormemente trabajar en un proyecto en colaboración. Lejos de complementarse, van distanciándose progresivamente hasta perder la noción de un proyecto vital en común y acaban por ignorarse.

En cambio, qué epílogo tan hermoso para el matrimonio – y síntesis perfecta de la intimidad- evocan las sabias y antiguas palabras:

> "El corazón de su marido
> estuvo siempre en ella confiado".
> Proverbios 31:11

Intimidad y familia de origen

La familia de origen es el sistema de relaciones donde se forja nuestro sentido de intimidad. Ahí aprendemos por primera vez a amar y ser amados, a confiar, a ser aceptados, etc. Sin embargo, tristemente, para algunas personas será el lugar de la traición, del abuso y de la confusión en la intimidad.

Aunque, mayoritariamente, hayamos conocido aspectos positivos en cuanto a la intimidad y resultemos altamente beneficiados, con todo seguramente también habremos conocido rasguños, heridas o decepciones. Todo ello hará que nuestro mundo íntimo sea un tesoro a proteger. A veces, lo haremos de forma prudente y sensata; otras, de forma cerrada y perjudicial.

La intimidad nos hace evocar toda una serie de miedos, que suelen estar vinculados a experiencias tempranas de intimidad o factores propios de nuestra personalidad. Lo importante es entender que amor y temor son antagónicos e inversamente proporcionales. Cuanto más se ama y se es amado, menos se teme.

"¿Maestro, qué es el amor?
Es la ausencia total del miedo.
¿De qué tenemos miedo?
Precisamente, de amar".[2]

A continuación, cito los miedos más frecuentes con respecto a la intimidad.

Miedo a la dependencia

Como sociedad, hemos fomentado hasta tal punto la autosuficiencia que, a veces, compartir el tiempo, la vida o nuestra experiencia nos provoca un temor confuso. Se anima a las personas a no depender económica o emocionalmente de otras y, sin duda, puede haber riesgo de patología (dependencia emocional). Sin embargo, para que haya intimidad debe existir una interdependencia mutua entre los cónyuges. Y ello, claro está, de forma libre y voluntaria.

Si dos personas viven el matrimonio con un sentido pronunciado de autosuficiencia, les costará tomar decisiones o asumir riesgos de forma conjunta, y será un matrimonio con fuerte tendencia individualista.

Miedo al rechazo

El miedo al rechazo consiste en el miedo a no ser amado y en un pánico terrible a ser abandonado e, incluso, a ser sustituido por otra persona. A lo largo de la vida, oímos susurros que nos aterran: *"que no tenemos valor","que nadie nos aprecia","que nadie se acuerda de nosotros o que nos ignoran".*

El matrimonio es el ámbito de la vida en el que más se invierte, y ello en cuanto a energías, esfuerzos, emociones y sentimientos, y asimismo en el plano de lo económico. Por eso, cuando hacen su

---

2 Diaz, C. *"Soy Amado, Luego Existo"* Vol.1. Editorial Desclée de Brouwer, S.A. Bilbao, 1999.

aparición minúsculas grietas, consistentes en pequeños rechazos, o, aún peor, hay que afrontar la posibilidad de una ruptura definitiva, la experiencia nos resulta devastadora, y muy parecida en intensidad emocional a la muerte.

Casi todos nosotros hemos luchado en esta vida para lograr una mayor aceptación de nuestra persona y nuestro carácter. Es difícil seguir manteniendo nuestra dignidad y valor frente al fracaso del matrimonio o al desamor.

Miedo a ser controlado

Cuando sufrimos este miedo, pensamos que "si el otro me conoce, me puede controlar, y entonces perderé mi autonomía y dejaré de ser yo mismo".

Hay personas que han sufrido en su familia de origen debido a padres/madres controladoras; hay adultos que interfirieron en su desarrollo y autonomía. Comprobaron que la única forma eficaz de eludir el control, consistía en ocultar información o en ser reservados. Este miedo choca frontalmente con ese sentido de transparencia y desnudez que enriquece el matrimonio y que tanto fomenta y facilita la intimidad. Es, pues, este *"miedo a la entrega"* lo que crea un problema dentro de las relaciones conyugales.

Miedo a exponerme demasiado

Es ese *"miedo a la libertad"*, cuyo estudio tanto apasionó a Erich Fromm.

A veces, tenemos miedo de nuestros propios sentimientos; los rechazamos y los reprimimos, negando así una dimensión profundamente humana en nosotros. Pensamos más que sentimos, y nuestro comportamiento se parece más al de una computadora que al de una persona. Estamos bloqueados y, debido al miedo, nos cuesta experimentar sensaciones que pensamos que pueden escapar a nuestro control.

Muchas veces, esto es debido a que hay familias de origen donde parecía que los sentimientos no existían o eran propios de personas débiles.

140

Con este miedo es difícil, entregarse a la otra persona de forma generosa e integral.

Miedo patológico a la intimidad

Estoy convencido de que hay personas que, debido a trastornos psicológicos profundos, son incapaces de poder disfrutar –y hacer disfruta a la otra personar– una vida de intimidad.

Aconsejo a tales personas que permanezcan solteras, ya que, aunque hacen pequeños esfuerzos al principio de la relación, cuando ésta se consolida, se relajan y provocan mucho sufrimiento en su pareja.

Habitualmente, estas personas son confundidas con personas tímidas, retraídas o introvertidas. Incluso son vistas como interesantes desde afuera debido a que proyectan cierta aura de misterio. Pero la realidad es que no van a cambiar, y nuestro deseo de que cambien las hace todavía más defensivas.

"Es tan buena persona...
Es tan servicial...
Nunca tiene un 'no' para los demás..".

También existe toda una serie de trastornos de personalidad que dificultarán la vida de intimidad. Dependerá del grado del trastorno, de la conciencia que haya del mismo y de la disponibilidad al cambio. Así, nos podemos encontrar:

*   Personas con marcada inseguridad. No saben relacionarse sin controlar o dominar a los demás.

*   Personas excesivamente susceptibles. Siempre ven a los otros como una amenaza y desconfían de ellos, lo que les lleva a defenderse de forma continua e innecesaria.

*   Personas excesivamente rígidas. Su forma de relacionarse consiste en etiquetar y juzgar a las demás. La flexibilidad tan necesaria en la intimidad no forma parte de su conducta.

- Personas con bloqueos de expresión irreparables. Siempre aparecen distantes, frías, inexpresivas, como "en su mundo". Pueden entender conceptualmente la intimidad, pero son incapaces de romper su bloqueo, ya que éste forma parte de su esencia.

- Personas marcadamente egoístas. En este caso, no se trata de un problema psicológico, sino de una actitud moral exacerbada. Aparte de ellos, sólo existen ellos. Se relacionan por soledad, por interés económico o práctico, pero no por deseo de intimidad.

Los ciclos de la intimidad[3]

La intimidad no es un estado que se logre una vez y ya para siempre, sino que es fomenta y cuida a lo largo del matrimonio.

Todas las parejas deben resolver los obstáculos que vayan apareciendo en su relación y que puedan dificultar la intimidad. De forma bastante paradigmática, se podría establecer que casi ninguna pareja efectúa este proceso avanzando en *"línea recta"*, sino a través de *"ciclos"* emocionales de acercamiento y alejamiento del compañero.

La esencia íntima de la pareja funciona de forma análoga al corazón humano. El corazón ejecuta sus funciones gracias a movimientos rítmicos de dilatación (diástole) y contracción (sístole). El matrimonio ejecuta sus diástoles y sístoles, para luego llegar a conclusiones o actitudes que le permitan seguir avanzando.

A través de las diferentes situaciones emocionales por las que transitan, las parejas van formando *"su carácter"*.

Este carácter único e idiosincrático, que da identidad a cada matrimonio, deriva de haber atravesado todos los ciclos de la intimidad.

---

3 Dym, B. & Glenn, Muchael L. *"Couples"* (Exploring and Understanding the Cycles onf Intimate Relationships). Haper Collin Publishsers. New York, 1993.

Habrá parejas que serán, según este carácter *"divertidas"* (comunican alegría, desenfado); otras son *"excelentes planificadores"* (comunican organización, orden); otras son *"explosivas"* (comunican y exportan tensión), etc. El resultado que comunicarán se producirá siempre después de este proceso; después de haber luchado, sufrido y, al fin, haberse enriquecido a través del proceso para alcanzar una mayor intimidad o, desgraciadamente, después de haberse bloqueado en el proceso.

Estas situaciones emocionales se condensan básicamente en tres ciclos: expansión, contracción y acomodación. Son ciclos de intimidad que las parejas van elaborando y recorriendo a lo largo de su historia (ver fig. 11).

A continuación, expondré brevemente el contenido de cada ciclo, junto con las dinámicas interpersonales (en relación con otra persona) e intra-personales (en relación con uno mismo) correspondientes.

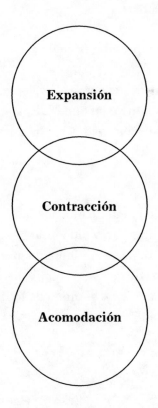

Fig. 11

a. Ciclo de expansión

Este es el ciclo en el cual se conocen e inician todas las parejas.

Puede coincidir cronológicamente con el noviazgo o con los primeros años del matrimonio, ya sea por medio de un encuentro físico, porque llevan un tiempo fijándose el uno en el otro, o porque se han "conocido" a través de la Red, y no cabe duda que es una relación que se inicia con gran entusiasmo.

Es un ciclo de emociones muy expansivas, que guarda relación con ese haber encontrado a la persona "ideal". En estos casos, lo habitual es expresarse en los siguientes términos:

"He encontrado a mi media naranja", "mi otra mitad", "mi alma gemela". "Cuando la vi, pensé: Es la mujer que siempre había querido conocer". "Cuando le conocí, pensé que era el tipo de hombre que había estado esperando toda mi vida".

Muy poéticamente lo expresaba Bécquer:

> "Hoy, la tierra y los cielos me sonríen.
> Hoy, llega al fondo de mi alma el Sol.
> Hoy, la he visto, la he visto y me ha mirado.
> ¡Hoy, creo en Dios!"

Nivel interpersonal

Se ve en la otra persona aquello que nos falta, colmando lo que ya se es. Los horizontes se amplían y aumentan las oportunidades. Hoy se ha conocido a una persona 'sencillamente maravillosa". La dinámica de relación que se establece es de complementariedad, y encuentra su cauce lógico de relación en el plano de lo físico, con inclusión del plano de la comunicación verbal y la vertiente de lo emocional (ver fig. 12).

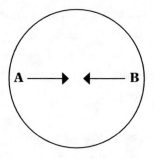

Fig. 12

Se desea ver de continuo a la otra persona. Cuando una de las partes inicia un contacto, la otra responde acercándose en actitud positiva. Se experimenta el placer de ser buscado y de ser recibido por el otro. Existe reciprocidad en el inicio y en la respuesta. Ambos están siempre mutuamente disponibles para el encuentro emocional y físico. El gráfico ilustra esa buena disposición para el acercamiento partiendo cada persona de su propia posición.

Se inventa un lenguaje propio de complicidad: con diminutivos, con apodos graciosos o incluso cursis. Se crea todo un idioma que sólo tiene sentido en el ámbito de lo personal.

Las mujeres ayudarán a sus maridos a ser más sensibles y expresivos y a estar cerca emocionalmente, y, por su parte, los maridos ayudarán a sus esposas a afirmarse ante los padres y el jefe, a vestirse mejor y a preocuparse menos por todo.

En este ciclo, el conflicto de pareja no existe. Se elude, se niega o se minimiza. Por lo tanto, nunca se da el clima psicológico adecuado para pactar y flexibilizar.

Nivel intra-personal

Es el ciclo en el que se busca la *"imagen ideal"*. De hecho, a este ciclo también se le denomina idealización, ya que se pone en funcionamiento

145

aquel ideal que se lleva grabado en la psique desde la infancia (*"el príncipe azul"* para la mujer, y la *"mujer diez"* para el hombre). Se aspira a sacar a flote lo mejor de uno mismo, como nunca hasta entonces –de hecho nos sorprendemos a nosotros mismos-. Nos descubrimos siendo poetas, detallistas, sensibles...

Es un ciclo en el cual la persona se siente pletórica, llena de entusiasmo, se atreve con todo, se minimizan los riesgos y se liman las diferencias. Se da una idealización del propio yo y de la relación con el otro. Si se ve algo que no gusta, se piensa que el tiempo y los buenos consejos producirán el cambio deseado.

La pareja vive en plena euforia transformativa, piensa que su relación no será como las demás y que, por supuesto, será también muy distinta a la de sus padres. Por otra parte, de sugerírsele la conveniencia de una consejería prematrimonial o alguna orientación al respecto, no lo ven en absoluto necesario.

Por si no ha quedado suficientemente claro, este ciclo se corresponde con el *"enamoramiento"*, aquella etapa en la que popularmente se dice que *"el amor es ciego"*. Es, sin duda, un estado de euforia y colapso mental en el cual parece que se está 'tocando el cielo', cayéndose en comportamientos que posteriormente la propia pareja encuentra ridículos. Sin embargo, la efervescencia de ese ciclo no dura para siempre y la dinámica de la pareja va a ir cediendo poco a poco con las presiones del día a día.

b. Ciclo de contracción y repliegue

Es un ciclo que supone una contracción en tres niveles básicos: el del propio 'yo', el del otro, y el de la relación mutua. Siendo en el marco de ese proceso donde los sentimientos se repliegan y reducen, justo al contrario de lo que sucede en el ciclo anterior. El pesimismo, el cinismo, la amargura y el 'victimismo' están ahí a la orden del día (ver fig. 13).

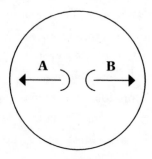

Fig. 13

Ya sea por la propia rutina de la convivencia, por la llegada de los hijos o por algún otro factor externo, la pareja entra, pues, en ese segundo gran ciclo dentro de la intimidad, el ciclo de la contracción o repliegue.

Nivel interpersonal

La vida de la pareja se vuelve restringida y rutinaria. Aparecen los primeros conflictos –que antes estaban larvados o se ignoraban–. Una de las partes critica y la otra se defiende (de hecho, el otro es percibido como enemigo potencial). Los términos *"siempre"* y *"nunca"* suelen estar omnipresentes en las discusiones que se suscitan, lo cual nos habla de rigidez y falta de visión y perspectiva. Uno inicia el movimiento de acercamiento y el otro se retira. El gráfico lo ilustra bien.

Cuando el otro decide retirarse, crece la ansiedad (por el sentimiento de rechazo, de abandono, o de indiferencia).

En este ciclo, el cambio siempre es rechazado, lo cual hace que éste se pida aún con más insistencia, al tiempo que se genera un mayor rechazo (la presión es enorme).

Está presente un deseo nostálgico de 'recuperar' a la persona que se conoció en "desarrollo" o incluso de crear un nuevo modelo de relación.

Nivel intra-personal

En esta fase, lo que sucede es que la autoestima de ambos esposos se halla en el nivel más bajo dentro de su relación. Las personas se sienten desgraciadas, y muestran una cierta tendencia a la autocompasión. Existe una gran decepción con uno mismo, ya que no se es capaz de amar de forma generosa y desinteresada. Las personas se enfrentan con su vergüenza más íntima y sus puntos más oscuros.

La sensación de angustia y fracaso lo llena todo. Las parejas se sienten coartadas y así lo manifiestan: *"Con mi mujer/marido no puedo ser yo mismo".* Esto lleva a pensar que es mejor retirarse y protegerse. Las personas se atrincheran, instalándose *"en la isla de la invulnerabilidad"*, *"en mi refugio"*, *"en mi nido"*; todas ellas, evidentemente, metáforas de un lugar donde no se nos va a dañar.

Psicopatológicamente, pueden aparecer trastornos de ansiedad, trastornos depresivos o adicciones como respuestas inconscientes a la insatisfacción creada. La decisión de abandonar la relación es como una espada de Damocles que amenaza la unidad del matrimonio y hace crecer aún más la ansiedad.

Es el ciclo del resentimiento y del dolor; pero, aun así, es un ciclo necesario, ya que le permite a la pareja abrirse en cuanto a secretos, miedos, obsesiones, distorsiones y cuantos pensamientos oscuros y terribles le vengan a la mente. Sin contracción, seríamos mutuamente desconocidos, no seríamos auténticos en nuestras relaciones. La pareja pasa por una especie de *"travesía por el desierto"* donde su consistencia es probada. El matrimonio toma conciencia de su gran fragilidad y de la posibilidad de disolución.

Cuando la pareja llega a este ciclo, hay tres posibilidades:

a) Bloqueo: la pareja se instala ahí y el problema se cronifica. Se evitan las confrontaciones airadas y se construyen muros defensivos con el fin de poner límites a los sentimientos de abandono, rechazo y carencia de valía. La comunicación se resiente. Lo cierto es que no se utilizan bien las herramientas disponibles para solucionar los conflictos y, por supuesto, la pareja se distancia sexualmente o mantiene una sexualidad mecánica, pero desprovista de ternura, afecto y pasión. A veces, la pareja opta por permanecer replegada sobre sí misma, retrayéndose por temor a que el intento de resolución de conflictos acabe en divorcio.

b) Ruptura: Se reinicia el ciclo de expansión con otra persona. Si la pareja se encuentra en el noviazgo, éste se rompe, y, si no, puede darse una relación extramarital. De ser ya dentro del matrimonio, se alegará desamor y se procederá al divorcio.

c) Crecimiento: Se pasa a la fase de acomodación, que no significa resignación. Pero lo cierto es que no accederán los dos a ella al mismo tiempo. Puede darse entonces, y a nivel individual, una suerte de 'excursión' por parajes no frecuentados, en un intento por contemplar la situación desde una perspectiva diferente.

De forma muy legítima, en esta fase la pareja puede optar por recurrir a la terapia en un intento racional de desbloquearse y reconducir su camino.

c. Ciclo de acomodación

Significa la afirmación del compromiso en la relación y la disposición a negociar para que la relación siga adelante.

"Se entiende que el matrimonio no es algo estático, sino algo que debe aprenderse a crear en virtud de una dinámica en continuo desarrollo. La pareja debe aprender a acomodarse cada uno a las expectativas y formas de ser del otro". [4]

Se intenta reconciliar los dos ciclos en función de la pareja, pues lo cierto es que la persona ni era en un principio tanto, ni ahora es tan poco.

---

4 Nichols, M.P. *"The Power of the Family"*. Simon & Schuster Inc. New York, 1988.

Esta fase supone entender que en la relación de pareja hay momentos cumbre y momentos bajos. Por lo tanto, es un ciclo que ayuda a asumir la complejidad de la vida y ayuda también a alcanzar la flexibilidad necesaria para una larga convivencia (ver fig. 14).

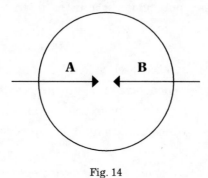

Fig. 14

Por supuesto, no se trata de un ciclo donde predominen las emociones –como en los anteriores ciclos-, sino que prevalece la capacidad de análisis y la firme determinación de que la relación tenga futuro.

Nivel interpersonal
Se entra en la negociación, lo cual implica asumir que el otro tiene un punto de vista válido –al menos, tanto como el propio-, y que el acuerdo es posible.

Los patrones dejan de ser rígidos. Se adquiere un sentido de perspectiva de la relación y una mayor capacidad para ceder y transigir. Se aceptan tanto las propias limitaciones como las del otro, y se diferencia entre aquellas demandas que son razonables y las que son un imposible.

La pareja se da cuenta de lo infructuoso de una actitud persecutoria. Por una parte se resuelve no atosigar, y por la otra se deja de huir, y ello de forma tal que vuelva a producirse el encuentro con sus correspondientes ofertas y demandas. La actividad es mutuamente provechosa, y el gráfico así lo indica.

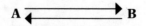

Los esposos dejan de imponerse el uno al otro, ya no se ejerce presión, la frustración disminuye y se acrecienta el mutuo respeto.

La pareja se abre a los amigos y a la comunidad. En este ciclo, se puede tomar incluso la decisión de aumentar la familia, algo que, en cambio, hubiera sido causa de tensión en la fase anterior.

El otro ya no es idealizado, sino que es visto como imperfecto, pero lo suficientemente bueno como para seguir juntos. La pareja desarrolla todo una serie de *"rituales"* dedicados a cuidarse y a mostrar su afecto. Algunos ejemplos de estos rituales serían: volverse a llamar por teléfono durante la jornada, dejarse notas o mensajes de afecto, buscar pequeñas formas de complacer a la otra persona, etc.

Son rituales que se realizan quizás por lo mal que lo han pasado, por gratitud o, sencillamente, por querer agradar al otro.

Nivel intrapersonal
Es un ciclo de madurez, porque las personas han profundizado en sí mismas y en su relación.

Psíquicamente, ya no existe ni dependencia de la otra persona, ni aceptación acrítica, tal como sí pasaba en cambio en el ciclo de expansión, sino que, de forma voluntaria y responsable, se quiere *"mantener a flote la relación".*

La persona entiende que puede seguir siendo ella misma en medio de la relación. Hay tiempo, espacio y energía para tanto para el *"yo"* como para el *"nosotros".*

Obviamente, estamos en el ciclo del amor maduro (versus el enamoramiento que era un esbozo muy incompleto del amor real). Se trata de un amor por el cual hay que trabajar y esforzarse.

Ese es el amor descrito en la Biblia como:
"sufrido, benigno, sin envidia, sin jactancia, sin envanecimiento, que no hace nada indebido, que no busca lo suyo, que no se irrita, que no

guarda rencor, que no es injusto, que es verdadero...,
que nunca deja de ser..". (1 Corintios 13:4-8)

A todas las parejas les gustaría permanecer el máximo de tiempo posible en este ciclo de la intimidad, alcanzado con tanto dolor y después de arriesgar tanto. Es como seguir navegando tras haber sufrido la posibilidad de un naufragio muy real.

Sin embargo, lo más seguro es que, justamente debido a lo bien que están, vuelvan a elaborar todo el patrón de ciclos propios de la intimidad, aunque las futuras estancias por expansión y contracción ni serán tan intensas, ni les costará tanto alcanzar de nuevo la acomodación.

Los miembros de la pareja han aprendido, han madurado y utilizarán los recursos y los recuerdos que les fueron útiles para aprender a amar y a vivir en una mayor intimidad.

Pautas para alcanzar una mayor intimidad

- El matrimonio nos proporciona una excelente oportunidad para sacar nuestros miedos a la luz, explorarlos en el contexto del amor incondicional y resolverlos. Para ello, debemos expresar esas emociones que tanto nos aterran o nos duelen, y ello en palabras que sean comprensibles e inteligibles para nosotros mismos y para las personas que nos quieren ayudar.

- También resulta imprescindible que la pareja analice qué aspecto de la intimidad necesita ser enriquecido. Es posible que alguien precise más tiempo, más conversación, más expresión de sentimientos o un ritmo más intenso en su sexualidad. Conocer qué, cómo y cuánto necesita la otra persona nos permite sensibilizarnos y acceder o negociar hasta dónde podemos llegar.

- La intimidad de forma individual es siempre disfuncional para la pareja y empobrecedora para la persona misma. Y aun cuando, a lo largo de todo el libro, he venido argumentando que el matrimonio no supone la disolución del "yo" en el "nosotros", sino su coexistencia, la intimidad sólo tiene sentido si se comparte y se nutre por parte de los dos.

- Mantener, por ejemplo, una sexualidad autoerótica (ya sea creando nuestras propias fantasías eróticas, nutriéndolas con pornografía o practicando la masturbación), a la larga nos irá aislando de la pareja y levantando muros.

- He observado estos años que cuanto más intenso es el ciclo de expansión, más profunda suele ser el de repliegue y contracción. Acostumbro a compartir que "cuanto más ardientes son las llamas, más frías son las cenizas".

Recomiendo rigurosamente noviazgos realistas, en los que la pareja invierta tiempo conociéndose, viendo cómo encajan, hablando seriamente de sus planes de futuro. A veces, hay que tener el valor necesario para no continuar adelante con una relación que se ha mostrado difícil o que nos está coartando nuestro progreso personal o espiritual.

- Probablemente, en el desarrollo de los ciclos también intervendrán factores propios de la personalidad, que hemos obviado en este capítulo.

Sin duda, habrá personas que son más emocionales e impulsivas, a las que les costará muy poco entusiasmarse. Para ellas, entrar en el ciclo de expansión resultará muy fácil. Es más, les parecerá lógico o normal vivir siempre en este ciclo, como si no pudieran concebir la vida de pareja en otros tonos emocionales. También habrá personalidades más dramáticas, las cuales, cuando lleguen al ciclo de contracción, tensarán la cuerda al máximo, costándoles ver que hay salida para su situación. Finalmente, habrá personalidades más reflexivas y serenas. Para ellas, analizar, pactar o comprender la dinámica de pareja que les ha conducido hasta aquí –componentes básicos del ciclo de acomodación- será más factible que para otras personalidades.

- Gracias al hecho de pasar por la dinámica de los ciclos, la pareja es consciente de su fragilidad, pero también adquiere nueva información acerca de sus puntos fuertes. La pareja ha crecido, ha fortalecido su vínculo y ha enriquecido su concepto del amor. Sabe lo que tiene que evitar en futuros momentos de crisis o dónde apoyarse para salir adelante. Conoce perfectamente lo que hiere de verdad al otro, y dónde él mismo es más vulnerable.

Además, lo más importante es que su amor ha crecido y, de hecho, seguirá creciendo hasta el final. Incluso si la muerte le llega a uno de los dos y separa sus existencias, es muy probable que puedan hacer suyas las palabras de aquella conocida balada:

"No hay muerte en el mundo que consiga poner fin a esta historia de amor".

Celine Dion. "Si tú eres mi hombre y yo tu mujer"

CAPÍTULO 8

Potenciar o dominar: el uso del poder dentro del matrimonio

"Someteos unos a otros en el temor de Dios".

Efesios 5:21

"Cada una de las personas involucradas en una relación estará en constan maniobra para colocarse en posición superior respecto a la otra". [1]

Del tema del poder no se suele hablar mucho en relación a la pareja, sobre todo porque no es *"políticamente correcto"* y porque hiere los sentimientos más nobles que se relacionan con el amor. Pero lo cierto es que es un tema que siempre está *"ahí".*

Esto se nota en seguida al trabajar con parejas, porque siempre alguno de los dos intenta *"aliarse"* con el terapeuta, para poder hacer así prevalecer sus puntos de vista *"sobre"* el otro.

Se nota aún más en parejas cuyo poder destructivo es tan alto, y cuyo arsenal bélico está tan bien equipado, que el terapeuta apenas consigue establecer el orden en la sesión, y cuando esta finaliza, nota como si la energía hubiera abandonado su cuerpo. Suelo decirles a estas parejas que me recuerdan a aquellos acorazados de la Segunda Guerra Mundial que se cañoneaban en medio del mar hasta que los dos terminaban hundiéndose.

Mi propósito es dedicarle al tema del poder un pequeño espacio en el libro para crear, en la medida de lo posible, más consciencia del tema, y que las parejas puedan tenerlo presente en sus relaciones.

Parto, igual que Haley, de la premisa de que el tema del poder va a estar siempre presente en las relaciones personales, y ello tanto si lo es de forma explícita como si no. Las relaciones de pareja tampoco van a verse libres de esa tensión. En alguna ocasión, he definido a veces el matrimonio como *"una lucha incesante por conseguir y luego mantener el poder".*

---

1 Haley, J. *"Las Tácticas de Poder de Jesucristo".* Ediciones Paidós. Barcelona, 1991, pág. 12.

El poder se define como la facultad que nos permite situarnos en una posición superior con respecto a alguien para hacer o conseguir algo. A veces, resulta muy evidente quién es el que ostenta el poder en la pareja, mientras que en otros casos su ejercicio es muy sutil.

"Los dos éramos divorciados cuando nos conocimos…
Él tenía un piso en propiedad y yo accedí a ir a vivir con él.
Un día, tuvimos una discusión muy fuerte…
Él, con mucho enojo, me dijo: Recoge tus cosas y vete de mi casa.
Al cabo de unos días me llamaba y me pedía entre sollozos que volviera:
que me necesitaba, que no sabía vivir sin mí".

Ante esta situación, cabría preguntarnos: ¿Quién tiene el poder real en esta pareja? ¿Él, que retiene la propiedad inmobiliaria a su nombre o ella, que mantiene el poder emocional y hace que él sea dependiente en la relación?

Escenarios donde ocurre la lucha por el poder

Los escenarios en los que ocurren las luchas de poder no se van a dar en todas las parejas. Habitualmente, las parejas suelen luchar en uno o dos de los frentes que aquí se exponen. Cuando la lucha por el poder se da en todos los frentes, asistimos a *"una pareja de alto riesgo"*, cuyo daño emocional, físico y legal suele ser tremendo. Este último instancia, este hecho ha sido bien documentado y trasladado al cine en la conocida película *"La guerra de los Rose".*

La comunicación

La comunicación es el medio por excelencia para poder situarnos en una posición superior con respecto a la otra persona.

Quien sea más productivo verbalmente, quien sea más argumentativo, o más vehemente, será el que tenga mejores posiciones, o quien asuma la resolución de conflictos de una forma más afín a sus intereses.

También la comunicación disfuncional, aquella que es pura violencia verbal, puede servir para usurpar y mantener el poder. Quien más grita, quien más ira exhibe, o quien más amenaza, mantendrá el poder en base a la tensión o el miedo que genera en su pareja.

Por último, quisiera hablar también de dos temas relacionados con la comunicación y el poder:

- **El silencio.** Probablemente, sea ésta una de las armas más poderosas y desconcertantes en el proceso de comunicación. El silencio –como voluntad de no hablar- siempre acaba siendo violento. Por el silencio, la persona se niega a *"presentar batalla"* y a *"devolver los golpes"*, castigando al interlocutor y ejerciendo, por tanto, un poder.

  Entiendo que, en términos de comunicación, el silencio sólo está justificado si ha subido la tensión y se desea reestablecer de forma temporal un clima de comunicación más sano.

- **La mentira.** Entiendo por mentira no sólo alterar la realidad, sino también ocultar deliberadamente fragmentos de la misma que conciernen a la vida en común.

  Las excusas del tipo *"si supiera toda la verdad, le haría daño"*, *"lo hago para proteger"*, *"hace mucho tiempo que pasó"*, etc., acaban creando muchos problemas.

  Suelo decir, y con total convicción, que *"la mentira siempre es diabólica"*, ya que, por definición, el diablo es aquel que divide y al que Jesús llama "padre de toda mentira".

  Evidentemente, esconder la realidad, saber algo que el otro no sabe, o manejar información privilegiada siempre concede poder a una persona respecto a otra.

El dinero

El control del dinero es uno de los mayores temas en cuanto al uso del poder en la relación matrimonial.

"Hablar del dinero en la pareja es hablar del poder y de la manera en que este poder circula y se distribuye". [2]

El poder es ejercido, a menudo, por la persona que gana más, o por quien distribuye el dinero familiar, o por aquel que disponga de mayor patrimonio.

El siguiente diálogo, típico en muchas parejas, refleja paternalismo, dependencia y puede a llegar a dañar la autoestima de la persona más dependiente:

"- Cariño, ¿me puedes dar más dinero?
- ¿Otra vez? ¿Ya te lo has gastado todo?
- Lo siento de veras. Todo está muy caro, no lo entiendo...
- Toma, te voy a dar algo más, pero vigila más los gastas..."

El tema del dinero suele tener sus raíces en la familia de origen. Para entenderlo, hay que analizar el lugar y el significado del dinero en la historia familiar de cada cónyuge, y cómo se ha administrado.

Se debe siempre analizar si el dinero ha constituido un elemento de poder, de desconfianza o de estrés a lo largo de la historia familiar. Acerca de este aspecto, suele haber ya manifestaciones durante el noviazgo, sobre todo cuando se acerca la boda y se plantea el tema de la vivienda y las aportaciones de cada uno.

En algunos casos, he visto como la familia de origen intenta mantener el poder proyectando el tema en los nietos y dejando la herencia a éstos.

Un matrimonio de mediana edad, y con dos hijos ya adolescentes, me hace una consulta que tiene que ver con el dinero, pero también con la autoestima de la esposa:

---

2 Coria, C. *"El Dinero en la Pareja".* Editorial Paidos. Barcelona, 1998, pág. 18.

"Nos casamos muy jóvenes, coincidió con el final de nuestros estudios. Ninguno de los dos ganaba suficiente dinero para embarcarnos en la adquisición de una vivienda.

Así que los padres de él nos regalaron un piso, que escrituraron sólo a nombre de él.

A mí me pareció bien al principio, pero, con el paso de los años, me doy cuenta de que he estado pagando y reformando una vivienda que no me pertenece.

Él es reacio a cambiar las escrituras de la vivienda, porque añade un coste innecesario y además resultaría difícil de explicar a sus padres. Ahora, incluso, se da el caso que la familia de mi esposo ha legado bienes a nuestros hijos, marginándome a mí".

Por supuesto, el uso del dinero también sirve para evaluar el nivel de sanidad en las familias analizando cómo y por qué se gasta.

Hay familias que a lo largo de su historia han tenido un gasto razonable y una administración responsable, mientras que hay otras que gastan de forma impulsiva, son poco previsibles, pasando por deudas, embargos e incluso devaluación de su estatus.

Aunque el dinero es todo un tema de conflicto, a menudo hay numerosos problemas asociados que no son reconocidos, y que, si se trabajaran, podrían mejorar la relación:

- He visto con frecuencia esposos que intentan esconder fondos y distorsionar la situación financiera para hacer creer a la otra persona una realidad económica que no es la auténtica; incluso se crea un clima de presión, haciendo creer a la otra persona que se está en dificultades económicas. Se abren cuentas, se hacen inversiones o se mantienen fondos a espaldas de la otra persona.

- Otro cónyuge –históricamente, han sido las mujeres- hace su *"bolsa casera"* con aquel dinero oculto al esposo, que, en el mejor de los casos, hace servir para *"sus gastos"* -sintiéndose libre y autónoma-. En el peor de los casos, se gastará en juego o alcohol.

- También hay algún cónyuge que puede ser irresponsable en sus gastos (comprar cosas innecesarias o fuera de tiempo) y, al mismo tiempo, criticar al otro por ser demasiado conservador en sus gastos.

- Finalmente, los esposos también tendrán que hablar y tratar qué pasa con el *"dinero nuevo"*, que es aquel que ha sido heredado o adquirido después de años de matrimonio; así como los cambios en la forma de ganar dinero, cuando, de repente, un miembro de la pareja empieza a ganar mucho más dinero que el otro.

A pesar de que el tema se ha trabajo poco en terapia matrimonial, Guerin propone algunas pautas que me parecen muy sensatas al respecto:[3]

1. El dinero heredado o adquirido por una persona de forma previa al matrimonio pertenece a esta persona, a menos que se haya negociado antes del matrimonio.

2. El dinero ganado por cada esposo durante el matrimonio pertenece a ambos esposos, de forma igualitaria, a menos que se haya negociado de otra forma antes del matrimonio.

3. El dinero heredado durante el transcurso del matrimonio pertenece al cónyuge que lo ha heredado, a menos que se llegue a un acuerdo en el momento de la herencia.

4. Los hijos son responsabilidad financiera de los padres biológicos, incluso después del divorcio, aún cuando el nuevo padre sea lo bastante rico.

Por último, añadir en este punto que el tema del dinero reaparece con mucha fuerza cuando la pareja se divorcia, e incluso se complica mucho más en el caso de la viudez o del matrimonio reconstruido. Aquí vuelve a intervenir, aparte del abogado, la familia de origen.

"Se trata de una pareja, ambos divorciados pero que parten de una

---

3 Guerin, P.J. *"The Evaluation of Marital Conflict".*. Basic Books Inc. New York, 1987, pág. 57.

situación patrimonial diferente; es decir, tienen diferente "poder adquisitivo".

Mientras él tiene varias propiedades, ella mantiene un piso de alquiler. El conflicto se da cuando él quiere beneficiar a sus hijos en el legado testamentario, mientras que ella reclama formar parte de las propiedades de su esposo como esposa suya que es".

La sexualidad

No pretendo extenderme demasiado, ya que se ha dedicado un capítulo en concreto a reflexionar sobre la sexualidad, pero sí quisiera crear conciencia de que la sexualidad puede usarse para ejercer poder en la relación de pareja.

El tema gira en torno a quién y cómo se regula la sexualidad. La sexualidad es algo que debería unir y hacer crecer a la pareja, en lugar de situarlos en posiciones de desigualdad.

Hemos de abandonar expresiones como *"sexo opuesto"* o *"sexo contrario"*, que utilizamos de forma tan gratuita, para enfatizar la complementariedad y mutualidad de la sexualidad.

El poder puede ser ejercido desde diversas funciones y por medio de variadas conductas, estando, en consecuencia:

- La persona que tiene un mayor deseo sexual y que, de alguna forma, *"presionará o forzará"* a la otra para mantener con más frecuencia relaciones sexuales. Si no consigue su objetivo, quizás habrá presión psicológica, recriminaciones, tensión o incluso agresividad.

  En el caso de que sea el hombre quien ejerce la presión, puede darse el caso de que el acto sexual se convierta en una violación o sea ejercido con violencia.

- Tendríamos aquí la persona que *"inhibe su deseo sexual"* y que, con esa inhibición regula la sexualidad de la pareja y, además, se resiste a hablar o tratar profesionalmente esta disfunción. Se centra en los hijos, en el trabajo, en aficiones o en su siempre precario estado de salud, para así evitar siempre las relaciones íntimas y hace sentir a su pareja como un pedigüeño o un enfermo por pretender tener más relaciones.

- La persona que nunca le dice a su pareja lo que le gusta, lo que le disgusta, o lo que necesitaría en el terreno de lo sexual. Es una actitud muy parecida a *"guardar silencio"* en la comunicación, quitando así a la sexualidad el aspecto lúdico, placentero y creativo.

- La persona que *"presiona"* para que se den prácticas sexuales en la pareja que pueden resultar para la otra persona insanas o inapropiadas. En esta misma línea, estaría la inclusión de pornografía, contactos virtuales, juegos o fantasías sexuales que atentan contra la dignidad o integridad de la persona.

- La persona que *"usa"* o *"se sirve"* sexualmente de la otra, disociando sexualidad del afecto, del compañerismo y del compromiso; en definitiva, del amor. Es la persona que claramente quiere dominar en lugar de amar. Esto se ve muy claro en la prostitución, donde la prostituta asume una posición de *"esclava sexual"* que por dinero complacerá a su cliente.

- La persona que *"amenaza"* con buscar sexo fuera del matrimonio si no se cumplen ciertas expectativas.

- Y, por último, la persona que mantiene *"su propia sexualidad"* a espaldas de su pareja. Tiene sus propias fantasías, sus prácticas auto-eróticas y su autosatisfacción.

Continuidad en la relación

El poder puede ser ejercido por la persona que amenaza con dar por terminada la relación de pareja, ya sea dejándola de una forma razonada o por una relación extramatrimonial. El último que amenaza es siempre quien más poder tiene. Si la persona amenazada no sabe salir de esa dialéctica, evidentemente perderá poder y acabará capitulando o accediendo a vivir con ciertas condiciones por miedo a la separación, a un futuro incierto, o a la soledad.

El miedo a ser abandonados, o a no ser queridos, es uno de los mayores miedos que sentirse puede en esta vida.

Siempre aconsejo a las parejas que no recuran a ese argumento en las discusiones, a no ser que se esté considerando de una forma real, para que así la otra persona pueda hacerle frente de la forma debida.

Poder y homeostasis en el matrimonio

La *"posición superior"* en la relación de pareja, como intentaré explicar, es un término relativo, que habrá que definir y redefinir a lo largo del proceso y dentro de los diferentes ámbitos de la relación:

- Alguien puede ser poderoso en el ejercicio de su profesión y disponer de autoridad en el ámbito laboral, tener personas a su cargo, proyectos que dependen de su habilidad y destreza, pero en cambio, no contar con el poder necesario para disfrutar en la intimidad de su matrimonio, es decir, no tiene poder suficiente para crear un entorno satisfactorio de intimidad.

  El estatus social, el perfil profesional o la situación económica no significan necesariamente poder en términos de relación de pareja.

- Si el poder es definido como la habilidad de ejercer influencia en una relación, puede darse un "uso activo del poder" o un "uso pasivo del poder". Mientras la primera forma implica una manifestación activa y externa del ejercicio del poder, la segunda se muestra de forma indirecta y no asertiva. En esta segunda forma, tras una máscara de aparente sumisión y docilidad, se presenta resistencia, resentimiento, boicot e incluso hostilidad.

Aparentemente, todo ejercicio de poder es activo, pero el uso pasivo produce tanto desaliento y frustración, que hasta los más fuertes acaban siendo derrotados.

- Aparentemente, el poder puede ser ejercido por aquel miembro del matrimonio que tiene una personalidad más fuerte, y es dominante, pero el caso es que no siempre es así, y la evidencia formal no acaba de dar respuesta al dilema. Basta que la otra parte "enferme" con alguna dolencia difícil de diagnosticar o de tratar, para que se produzca un reequilibrio de fuerzas y que la parte débil acabe "tirando" del fuerte.

- Una fórmula final, a la que muchas parejas recurren, es la de reestructurar el poder es "inventarse peleas para que nada cambie" –por supuesto, lo de inventarse es algo inconsciente-. Son luchas de desgaste que suelen girar en torno a los respectivos progenitores, los hijos, o las amistades.

  En estas luchas se externaliza el conflicto, proyectándolo hacia terceros con una cierta violencia psicológica. Es el equivalente al "torneo" en las luchas entre caballeros, que servía para medir las fuerzas de ambos y así establecer la primacía del más fuerte. El objetivo final de estas pugnas es el de establecer una jerarquía dentro del matrimonio.

- Al final de dichas pugnas por el poder, es posible que la pareja se reparta el poder, como quien se adjudica las fuentes de energía que aprovisionan a la humanidad. Alguien ostenta el poder económico y otro puede tener el poder emocional. Uno controlará la comunicación –y siempre querrá más-, mientras que el otro controlará la sexualidad –y nunca tendrá bastante-.

- En algunas ocasiones, es el mismo esposo quien controla dinero y sexo, pero la mayoría de las veces uno suele controlar el dinero y el otro el sexo.

Pautas de sanidad

"El último riesgo de amar, y posiblemente el mayor de todos, es el de ejercer poder con humildad". [4]

- A menudo, cuando se me pregunta: *¿Quién manda en el matrimonio?*, siempre respondo que la pregunta más importante no es ésta, sino *"¿Qué puedo hacer para que la persona que amo, siga creciendo a lo largo de la vida?".*

No estoy proponiendo en este capítulo una renuncia al poder, sino un uso que beneficie a la persona que amo y una renuncia a ejercer el poder como tal para infligirle daño.

Hay un juego de palabras y de conceptos en inglés que es muy adecuado para iluminar este principio: "power", que significa "poder", y "empower", que viene a querer decir "dar poder" o "potenciar" (su equivalente en castellano podría ser "potencia" y "potenciar").

- Tanto el matrimonio en sí, como la persona a quien amar y la capacidad de amar son regalos que Dios Creador nos hace. Somos amantes y no propietarios de las personas a las que nos vinculamos. Este sentido de gratitud y de gratuidad ha de prevalecer hasta el final para cuidar con esmero de aquello que nos ha sido dado.

- Trabajar para disminuir o erradicar *"la desconfianza"* en todos los niveles de relación mencionados. Como suelo recordar a los matrimonios: *"Corren tiempos difíciles para los amantes de largo recorrido".* Los crecientes índices de ruptura matrimonial, el aumento de la violencia en el matrimonio y el miedo al compromiso están favoreciendo cada vez más la desconfianza entre las personas. Se quieren asegurar todos los pasos a dar, minimizar todos los riesgos "por si acaso…", "por si la otra persona cambia…", "ya que nunca se sabe…".

---

4 Peck, S.M. *"Un Camino sin Huellas".* Emecé Editores. Barcelona , 1996, pág. 151.

Propongo:

a. Ser siempre muy honestos (transparentes) acerca de lo que se tiene, lo que se gasta y lo que se debe.

Intentar hacer juntos, como matrimonio, un presupuesto mensual, para que de, forma racional y no impulsiva o emocional, se sepa cuánto dinero entra y cómo se distribuye. Más importante que lo que se gana es cómo se gasta. De hecho, no hay que hacer ningún gasto importante, ni suscribir deudas de ningún tipo sin que la otra persona lo sepa, pues las deudas contraídas por una persona involucran a la otra. Tampoco se debe cifrar el poder por lo que se gana económicamente, una práctica muy en boga y que puede ser muy utilizada para dividir al matrimonio.

Nuestro uso y prácticas con el dinero debieran ser un reflejo fiel del modo en que la pareja se quiere y se aprecia. Ojalá nunca llegue a manifestarse en toda su virulencia el autoritarismo, el ansia de control del otro, la subordinación y la manipulación.

b. Transparencia en todo el proceso de comunicación. Debemos ser transparentes en lo que pensamos, sentimos y experimentamos en nuestra relación de pareja.

Es necesario compartir lo que nos hacen sentir otras personas externas al matrimonio –desde el principio mismo–. Y hay que compartir dudas, desilusiones, incertidumbres.

c. Transparencia absoluta e integral con respecto a nuestra sexualidad. Todo puede y debe hablarse, lo cual no quiere decir que todo pueda hacerse; pero no debe buscarse fuera ni tampoco dejarse deslumbrar por la tiranía del placer.

d. Aprender a consensuar todas las decisiones con la otra persona. Nunca caer en la tentación de decidir unilateralmente, ni a sus espaldas. Se tiene que aprender a hacerlo de forma conjunta, con la participación de la otra persona aunque a veces sea un proceso arduo y lento, ya que, a la larga, siempre es productivo y hace que la otra persona se sienta "parte de" y asuma su propia "responsabilidad".

A base de repetir una y otra vez el mismo proceso, la pareja aprende a decidir y erradica tanto el paternalismo como la inmadurez o la irresponsabilidad. Una vez tomada la decisión, se debe ser consecuente y trabajar para que ésta se concrete.

Para terminar, presento el siguiente esquema (ver fig. 15), que responde a cómo debería funcionar la distribución y ejecución del poder de forma sana en el matrimonio:

Poder en el matrimonio

Áreas	Formas de Procesamiento	Resultados
- Economía - Comunicación - Sexualidad - Toma de decisiones - Estereotipos sociales y de familias de origen (relativos al poder)	- Argumentación - Diálogo - Transparencia - Reflexión - Asertividad - Consultoría externa	- Cambios cuando sean requeridos - Satisfacción mutua - Tensión baja - Crecimiento

Fig. 15

CAPÍTULO 9

El aprendizage
de la fidelidad

"Mas el que comete adulterio es falto de entendimiento.
Corrompe su alma el que tal hace.
Heridas y vergüenza hallará,
y su afrenta nunca será borrada".

Proverbios 6:32-33

"¡Envejece junto a mi!
Todavía nos aguarda lo mejor,
el final de la vida, aquello para lo cual
esta tuvo su comienzo.
Nuestros tiempos están en Su mano,
En aquel que dijo: Todo lo he ordenado.
La juventud sólo muestra una parte.
Considera el todo, sin temor".

Robert Browning[1]

Me gusta aplicar a la relación de pareja las bellas palabras del poeta inglés Robert Browning escritas hace ya muchos años. Son esa clase de palabras que nos exhortan a llegar juntos hasta el final de nuestra existencia, y que, además, nos hablan de que solamente así entenderemos y disfrutaremos la vida en su plenitud.

"La juventud sólo muestra una parte", escribe Browning. ¿Una parte de qué? No sólo de la vida, sino también una parte del amor. Amar cuando somos jóvenes resulta fácil y hasta natural. Me atrevería a decir que es casi automático. Se trata de obedecer a un impulso y dejarse arrastrar por esa fuerza interior e imparable que propicia nuestro sistema hormonal. En cambio, el amor profundo es aquel amor transformador y adaptativo, que nos conduce a atravesar con la persona amada las diferentes etapas de la vida. Es aquel amor que se enriquece a sí mismo, pasando del enamoramiento apasionado a la complicidad, al compañerismo, al afecto entrañable, a la ternura, al compromiso indestructible, e incluso, al cuidado sacrificial.

---

1 Browning, R. poema *"Rabí Ben Ezra".*

A menudo, cuando las personas expresan que
"ya no queda amor",
"se acabó la chispa",
"ya no se siente lo que se sentía",

lo que esencialmente están proclamando es que el amor es algo hierático y estático. Si las emociones que lo acompañaban ya no están presentes, probablemente -se dicen a sí mismos- el amor se ha evaporado. Se siente entonces como absolutamente necesario volver a sentir aquello que emociona, experimentar de nuevo la turbación que produce estar cerca de la persona amada, aspirar a que ser objeto de atención y deseo.

Es como si el "yo" sediento lo mendigara de forma inconsciente. Así, ante el estado de precariedad existencial que se deriva de la rutina, del desinterés del cónyuge, o del propio devenir de la vida, se cae en la autocompasión, se piensa en términos de infortunio no merecido, y se elaboran fantasías al respecto. Fantasías con las que se juega en momentos de ensoñación, fantasías que se ejecutan con personas del entorno, o fantasías que se dejan volar por medios electrónicos.

Por último, el círculo se cierra: se conoce a otra persona que hace revivir o redescubrir unas vivencias añoradas.

En este caso, se trata de un hombre en su madurez (45 años): atractivo, bien situado profesionalmente, con veinte años de matrimonio y tres hijos.

"Me siento muy deprimido...
Tengo una relación fuera del matrimonio, con una mujer mucho más joven que yo.
Me he marchado de casa, pero al mismo tiempo echo de menos a mi familia.
No sé por qué he tenido esta aventura...
Quizás todo ha sido sexual. Me sentía asfixiado en casa.
Es una chica que me divierte, pero no me veo viviendo con ella.
Sucede que no quiero verla, pero acabo viéndola.
No sé ni estar solo..."

En este breve fragmento, es fácil apreciar la confusión y la ambivalencia que muchas veces caracterizan la infidelidad y la ruptura del proyecto familiar.

También se refleja la confusión, la crisis de identidad (en concreto, de la media vida) y la incapacidad de reflexionar en soledad.

No obstante, la fidelidad es uno de esos grandes temas esenciales en toda relación personal que se precie de profunda y consistente, y por supuesto forma parte inherente de la relación entre dos personas que profesan amarse. Significa "estar ahí" a lo largo de la relación para amar, proteger, luchar y sacrificarse, porque justamente ese es el mejor lugar donde se quiere estar.

Ser fiel significa mantener una actitud de constancia en afecto, en compromiso y en cuidado hacia la persona que decimos amar, hasta el final de la relación. Si hemos de ser honestos, reconoceremos que esto entraña grandes dificultades. Ser constante, a lo largo de los años y a pesar de las circunstancias, requiere una gran dosis de madurez y eso es algo que debemos ir aprendiendo a lo largo de la vida. La fidelidad va más allá de la monogamia; de hecho, nos lleva a reubicar todas nuestras relaciones con la familia de origen, con los amigos, con el trabajo, etc., y a trabajar de forma activa para conceder a la persona amada un estatus de exclusividad emocional, sexual y existencial tal, que la persona se siente única en la relación.

Siempre me ha parecido ocurrente aquella anécdota con acento de humor inglés que relata la historia de un matrimonio que, celebrando sus bodas de plata, repite el mismo recorrido en automóvil que hicieron de recién casados. Mientras el marido sigue conduciendo, la esposa observa el paisaje que se ve desde la ventana reflexionando en voz alta y exclamando con una cierta nostalgia:

"Ah, me acuerdo de cuando atravesábamos estos parajes y yo iba tan pegada a ti mientras tú conducías; estaba tan absorta en ti, que casi no miraba el paisaje".

A lo que el esposo responde con ironía:

"Yo sigo en el mismo lugar, entonces y ahora estoy delante del volante".

La dura realidad es que corren tiempos difíciles para aquellos amantes de *"largo recorrido".* El amor es visto por muchos como un impulso, e incluso a otros, que entienden que amar es una actitud, les cuesta visualizar que pueda llegar a "ser para siempre". Se le pone al amor "fecha de caducidad". ¿Quién sabe?, se preguntan las personas; las circunstancias y el paso de los años pueden hacer cambiar lo que yo ahora veo con tanta claridad.

Así pues, la vida de las personas ha dejado de ser en muchas ocasiones un círculo perfecto, el cual encierra de forma simbólica aquel amor que va del inicio hasta el final, para convertirse en una línea fragmentada que marca las diversas relaciones que se han mantenido a lo largo de la vida; fragmentos en los cuales se ha sufrido y se ha hecho sufrir.

Muchas parejas, por temor al futuro, ya no se casarán sino que se unirán, conviviendo de forma experimental durante un tiempo (por si acaso) para probar si la relación funciona. Otras muchas sí lo harán, pero sólo una de cada dos llegará juntas hasta el final de su trayecto. Una cuarta parte de estas separaciones o divorcios tendrá lugar durante los dos primeros años del matrimonio.

Aunque los motivos para llegar a la ruptura siempre son variados y complejos (y, en alguna ocasión, justificados), lo cierto es que la fidelidad en el matrimonio tiende a relativizarse cada vez más, y seguramente muchos de estos matrimonios podrían haber superado sus crisis sin desembocar necesariamente en una ruptura.

La fidelidad se aprende desde nuestra edad más tierna, cuando integramos en nuestra vida la fidelidad de nuestros padres entre sí, y también su fidelidad hacia nosotros como hijos y hacia el proyecto familiar. Fidelidad que se manifiesta incluso cuando les fallamos.

Con el transcurrir de los años, vamos forjando nuestra identidad y establecemos durante la adolescencia relaciones de amistad, de profesionalidad y de enamoramiento. A través de todas estas relaciones, "integramos" en nuestro yo la fidelidad como un ingrediente esencial.

¿Qué es una infidelidad?

Me gusta hablar de "infidelidades" más que de infidelidad, ya que no siempre los episodios serán iguales en intensidad, en contenido o en repercusiones para el matrimonio. Lo que siempre ocurrirá es que en el matrimonio habrá un déficit de intimidad, se evitará o diluirá la sexualidad, desaparecerá la complicidad y se creará una distancia entre la pareja. Se entrará en "secretos y mentiras" (hablar o recibir mensajes a hurtadillas por el móvil o chat, mentir sobre horarios y dinero), lo cual producirá un daño psicológico tremendo a la parte engañada. Cuando el tema se descubra y salga a la luz, habrá una fuerte ansiedad (ante la posibilidad de perder la pareja), junto con sentimientos de dolor, traición, rabia y devaluación en la autoestima.

Una infidelidad y, sobre todo, un adulterio constituirán la experiencia más devastadora que un matrimonio pueda llegar a experimentar en su relación como matrimonio y que, con mucha frecuencia, suele conducir a la muerte del mismo.

a. En cuanto al contenido:

* En algunos casos, no existe una tercera persona; sencillamente, la persona aduce que *"se ha cansado",* que considera que la relación se ha "desgastado", y que ya no quiere seguir en ella. Aunque muchos terapeutas no verían en este caso, técnicamente, *"infidelidad",* sino *"desamor",* en mi opinión, se ha fallado en el concepto de fidelidad, que consistía en tener una actitud constante de lealtad y afecto hasta el final.

- Otras veces, la infidelidad no incluirá sexo, o el sexo será el factor menos importante en la relación con terceras personas. Inicialmente se piensa en la tercera persona como una amistad. Se valorará más una comunicación más intensa, una intimidad más satisfactoria, o el sentirse valorado y comprendido por la tercera persona.

- En otros casos, la infidelidad será puro sexo. Sobre todo esto es rigurosamente cierto en la infidelidad masculina. Con carencia casi absoluta de sentimientos o amistad. El sexo habrá estado presente desde el primer momento e incluso la insatisfacción sexual en cuanto a ritmo o intensidad en el matrimonio habrá sido el detonante para la infidelidad.

"Estaba seco y necesitado en mi matrimonio...
A mi esposa siempre le ha costado la sexualidad...
La otra mujer me lo facilitó. Duró un tiempo, hasta que dejamos de trabajar juntos.
Pero yo nunca dejé de amar a mi esposa..."

- Finalmente, habrá otras infidelidades que serán de contenido mixto: empezarán por atracción relacional y acabarán con contenido sexual.

- El uso masivo de la tecnología en nuestra generación –en especial, el teléfono móvil e Internet- está suponiendo una revolución en nuestra forma de concebir las relaciones personales y está afectando el "sentido de intimidad". Obviamente, esto nos lleva a nuevos planteamientos acerca de lo que puede ser considerado o no como infidelidad.

En el presente, estamos siendo testigos de la proliferación de relaciones virtuales en parejas jóvenes y de mediana edad. Internet ha ampliado hasta el infinito la oferta erótica y pornográfica, y no hay indicios de que vaya a parar.

Podríamos plantear diversas situaciones ante las cuales cabe preguntarse si constituyen, o no, una infidelidad:

- El hecho de conocer a alguien en un chat e intimar a espaldas del cónyuge; alguien a quien le explico incluso mis intimidades personales o maritales.

- Hacer uso del ciber-sexo. Visualizar y alimentar fantasías sexuales como complemento a mi vida sexual de matrimonio.

¿Qué sucede cuando hay sexo implícito o explícito? Es cierto que no hay un contacto físico o una personal real, pero quien queda al margen, cuando lo descubre, suele sentir con igual fuerza la infidelidad.

En mi experiencia terapéutica, toda conversación erótica fuera del matrimonio y toda exposición a la pornografía constituyen puertas abiertas a posibles infidelidades. Además de ser una afrenta a la autoestima para la persona al margen.

La persona que lo hace suele aducir:

"Esa relación no significa nada para mí...
A lo cual respondo:
¿Y te has preguntado qué significa para tu pareja?"

b. En cuanto a la implicación con la tercera persona:

- En algunas ocasiones, la persona se referirá a su infidelidad con expresiones tales como: *"un resbalón","un desliz","una aventura"* o un *"no entiendo cómo ha sucedido"*, refiriéndose, con dichas expresiones, a que son infidelidades que sólo han ocurrido una vez, lo que sucede especialmente en comidas laborales, desplazamientos profesionales fuera de casa, etc.

"Para mí, fue una aventura...
No quería romper mi familia..."

En otros casos, la infidelidad constituye un patrón reiterado y deliberado a lo largo de los años. Estas infidelidades complementarán de alguna forma el matrimonio y le darán un equilibrio nocivo. La parte engañada entrará en un mecanismo auto-denigrante muy peligroso. A lo largo de estos años, he visto a personas engañadas sufriendo depresiones e incluso intentos serios de suicidio. No obstante, también se da el caso en que la persona engañada conoce la infidelidad, de forma inconsciente, pero no lo quiere admitir o no quiere entrar en ello.

c. En cuanto a las motivaciones:

• Algunas infidelidades tendrán motivos inconscientes incluso para las propias personas que las cometen. Se darán en determinadas coyunturas del ciclo matrimonial: nacimiento de un hijo, muerte de un padre, crisis de la mediana edad, síndrome del nido vacío, etc. A veces, se producirán claramente como una venganza hacia el otro cónyuge.

"No sentía cariño...
Me sentía incompleto..."

En algunos casos, habrá un patrón familiar proveniente de la familia de origen, donde*"todos lo han hecho",*ya sean los hombres o mujeres de la familia. Finalmente, también puede ocurrir que la persona no puede explicar de forma clara por qué ha ocurrido.

Factores psicosociales que potencian la infidelidad

A menudo se me pregunta si hoy es más difícil ser fiel que en el pasado. Al menos, respondo yo, esto es cierto para la mujer.

a. Existe una aceptación cultural de la infidelidad

Actualmente, nos encontramos en un contexto moral muy relativista, en el que la infidelidad es aceptada muchas veces de forma totalmente acrítica. Los valores absolutos que hacían referencia a lo justo o injusto, verdad o mentira, correcto o incorrecto, y por supuesto bueno o malo, han dejado de ser referentes en nuestra conducta de infidelidad.

Hay, por supuesto, una concepción temporal de la vida, según la cual la infidelidad se considera como *"un nuevo comienzo"*, un *"borrón y cuenta nueva"*. La mayoría de personas ven la vida a corto plazo, debiéndole sacar el máximo jugo posible.

La infidelidad y el adulterio son presentados como "normales" – hablando en términos estadísticos-. Son protagonizados y aireados por aquellas personas que se presentan como ídolos o referentes del momento. El mensaje que vamos interiorizando es que *"todos lo hacen"*, o que *"sucede en todos los matrimonios"*. Esto nos normaliza y acalla nuestra mala conciencia. Además, se torna muy difícil, ante la crisis o en situaciones complicadas, ver referentes de fidelidad que nos animen a luchar en favor de la continuidad del matrimonio.

¿Hay falta de amor, y por eso se da la infidelidad? o ¿se inicia la infidelidad y esto hace desparecer el amor? Por supuesto, se habla muy poco del amor hacia la otra persona, que muchas veces ha invertido los mejores años de su vida en la relación, del amor hacia los hijos o, incluso, del amor o respeto hacia la pareja de la tercera persona.

b. Posibilidad de mayor intimidad hombre-mujer

La incorporación masiva de la mujer al campo laboral, la mayor formación cultural y el uso de técnicas anticonceptivas posibilitan el mayor contacto íntimo hombre-mujer. Hace unos años, pocas mujeres podían asumir una infidelidad, porque apenas tenían contacto con el género masculino.

Muchas infidelidades se gestan y se concretan en el lugar de trabajo. Tiene sentido, ya que se convive mucho tiempo con los compañeros/as de trabajo, se comparten muchas experiencias e incluso se posibilitan encuentros fuera del marco estrictamente laboral (seminarios intensivos de formación, concentraciones en hoteles, comidas de celebración, etc.). Por una parte, es cierto que a las personas se las conoce trabajando, pero, por otra, ese conocimiento está sesgado y carece de un aspecto importante de la dinámica de pareja: la convivencia diaria de forma total y realista.

En la presente generación, hombres y mujeres hablan de sus diversas relaciones sin tapujos ni reservas. No están mal vistas ni las muestras de afecto ni el quedar juntos para compartir una comida o una conversación. Los límites interpersonales entre hombre-mujer antes eran rígidos y establecidos socialmente. Actualmente, los límites son totalmente flexibles y se requiere una mayor madurez para saber mantenerlos; por lo que es mucho más fácil que el enamoramiento florezca o que las necesidades afectivas o sexuales sean compartidas.

c. Un hombre/mujer menos comprometido

Actualmente, no es que no existan valores, sino que se han sustituido valores defendidos de forma tradicional como buenos y sanos, por otros valores. ¿Cuáles son estos valores?

- *"El derecho a ser feliz".* Parece como si en nuestra generación se hubiera sido programado "para ser felices". Es casi un derecho universal –o, al menos, para el universo occidental-. En todo momento y en cualquier lugar, se merece ser feliz. Desde esta perspectiva, cuesta entender la rutina, los conflictos e incluso el sacrificio. Queda muy lejos aquella reflexión de S. Kierkegaard, en la que expresaba: *"El dolor es mi maestro".* Si el matrimonio o incluso la familia constituyen un obstáculo para satisfacer este derecho, habrá que ponerles fin.

- *"Mi vida es mía"* y con ella hago lo que quiero, sin tener que rendir cuentas a nadie. En el fondo este valor y el anterior son matices de un profundo egoísmo.

- *"La temporalidad de la vida"."La vida son cuatro días y tres ya han pasado"."*Si hay Dios no lo sé, pero si existe, seguro que será comprensivo con mis necesidades emocionales o sexuales".

- *"Superficialidad".* En realidad, la mayoría de infidelidades no representan una buena transacción. Es cierto que algo se gana, pero es tanto lo que se suele perder, que no acaban siendo un buen negocio. *"Pero qué más da"* –se dicen muchas personas-. *"¿Para qué terapia de pareja?, ¿para qué más reflexión o crecimiento interior? ¿No cambian las serpientes de piel y prosiguen su camino?"*

d. Personalidades más inmaduras

Dentro de las explicaciones intra-psíquicas para poder explicar la infidelidad, resulta muy interesante la teoría psico-dinámica de Erik H. Erikson[2]. Este psicólogo argumenta que la madurez de la personalidad es el producto de resolver con éxito una sucesión de etapas cronológicas. La no superación de una etapa afectará de forma negativa a las etapas posteriores.

Aplicando dicha teoría al tema de la infidelidad, cobra especial relevancia la correcta superación de las etapas de identidad e intimidad (ver fig. 16)

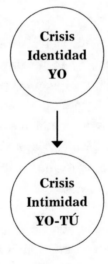

Fig. 16

La etapa de identidad (12-18 años) es una etapa en la que la persona se concentra en el *"yo"*. Tiene que ver con alcanzar el sentido de confianza, autonomía, iniciativa y laboriosidad. Esto conduce a la persona a una autoimagen unificada y a poder contestar *"quién soy"*.

---

2 Peck, S.M. *"Un Camino sin Huellas"*. Emecé Editores. Barcelona , 1996, pág. 70.

Mientras, la etapa de intimidad (20-30 años) es una etapa relacional entre el *"yo-tú"*. Aquí el objetivo consiste en establecer relaciones cercanas y sanas con otras personas. Saber compartir, dar y recibir afecto, así como establecer compromisos. El miedo a la intimidad con sus múltiples facetas o el aislamiento demostrarían una disfuncionalidad en la elaboración de dicha etapa. Muchas veces, la persona tiene la sensación de *"no haber vivido lo suficiente"* o de *"necesitar nuevas experiencias"*.

El sentido de identidad siempre debe preceder al sentido de intimidad, según Erik H. Erikson. Debemos llegar a un autoconocimiento, saber qué potencial tenemos y también qué limitaciones; es decir, llegar a *"una identidad estable"* antes de poder entrar en una relación íntima.

Sólo cuando hay este conocimiento previo se está preparado para establecer relaciones de intimidad. Es entonces, cuando de forma realista, se puede ver qué podemos ofrecer y qué esperamos de una relación de pareja.

¿Qué sucede cuando este orden no se respeta? ¿Y si la intimidad irrumpe en un momento en que la identidad todavía no está elaborada?

La infidelidad pondrá muchas veces de manifiesto que no se hicieron elecciones maduras o que se necesita sentir que aún se puede seducir para poder sentirse bien.

Si se invierten las secuencias, resulta que es necesario elaborar la propia identidad cuando se está comprometido en una dinámica de intimidad. Esto puede llevar a muchas personas a que, en determinados momentos, sentirse *"agobiadas"* o incluso *"asfixiadas"*.

En estas personas, hay una presión inconsciente para salir de la relación y recuperar estilos de vida y formas de comportamiento que son más propias de la adolescencia que de la vida adulta. Esto se ve muy claro en la crisis de la mediana edad, donde la persona, a pesar de ser adulta, cambia sus hábitos musicales, su forma de hablar, de vestir o de peinarse, al tiempo que se buscan parejas más jóvenes.

Señalar también que muchas personas viven con una actitud narcisista. Necesitan estar *"en un estado de constante gratificación"* y se vuelven *"adictos al romance".* Su *"yo"* necesita recibir constantes elogios, despertar interés y admiración en los demás. Si esto no ocurre, entran en una crisis de desvalorización.

Se trata, pues, de personas que no conocen el auténtico amor, sino que vinculan la relación de pareja al éxito. Su éxito como personas radica en su capacidad de conseguir pareja. Les cuesta relacionarse sin conquistar o seducir. Algunas veces, acaban siendo auténticos *"depredadores sexuales o emocionales",* para los que la otra persona es una *"presa"* que entra en un esquema muy simple de *"me gusta"* o *"no me gusta".* Tienen reacciones químicas de adrenalina para tratar de conseguir a esa mujer/hombre que se desea.

e. La sobrevaloración de la sexualidad
Vivimos en una sociedad en la que el sexo no sólo es un bien de consumo, sino que tiene connotaciones de ídolo. El sexo sube audiencias, ayuda a vender, mueve la economía mundial y crea esclavos (adictos al sexo, personas que viven por y para el sexo).

La prostitución no sólo no ha dejado de crecer y diversificarse (multiplicación de locales de ocio nocturno, invasión de zonas urbanas, prostíbulos camuflados en viviendas), sino que estamos asistiendo a una nueva forma de esclavitud protagonizada por las mafias extranjeras que están extorsionando a mujeres engañadas.

Nunca antes en la historia había sido tan fácil el acceso a todo tipo de pornografía y aberraciones sexuales. Tanto la literatura, como la televisión, el cine, la telefonía y, sobre todo, la informática han posibilitado un acceso anónimo, fácil y barato al sexo. Por supuesto, muchas veces se tratará de un sexo desencarnado, despersonalizado y compulsivo.

Sobrepasar la raya entre la fantasía y la realidad no es difícil. Siempre me gusta recordar que el órgano sexual más importante es el cerebro y no los genitales. Aquello que llena nuestra mente acaba tarde o temprano afectando a nuestro comportamiento.

También la libre circulación de muchas drogas y el abuso del alcohol están ayudando a una mayor desinhibición y promiscuidad sexual, que chocan contra la monogamia y la fidelidad.

La superación de la infidelidad

a. Debe asumirse con plena responsabilidad

Una infidelidad debe siempre asumirse con plena responsabilidad y esto implica confesar, restaurar y atenerse a las consecuencias. "*Sólo la verdad nos hace libres*", enseña Jesús.

Siempre he mantenido en mi práctica profesional que "nadie merece ser engañado". Se pueden hacer muchas cosas antes de llegar hasta ese punto. La persona que ha protagonizado la infidelidad debe asumirla reconociendo de forma honesta haberla cometido.

La infidelidad es una decisión personal que, en última instancia, no depende de las normas sociales, ni del control de la otra persona. Muchas veces, se tiende a negarla, a justificarse buscando atenuantes, o a no ponerle fin con decisión.

También es cierto que, de forma previa a la infidelidad, la pareja ha vivido a menudo en un clima de enfriamiento, de alejamiento emocional, o de pobre sexualidad, por lo que es importante que ambos cónyuges también asuman responsabilidad, ya que, si se quiere rehacer la relación, los dos tendrán que ver por qué se ha llegado a esa situación.

La persona que ha sido engañada tiene todo el derecho a preguntar y a saber todo lo que es relevante, aunque yo aconsejo no entrar en detalles de conductas sexuales. Es un derecho que, como víctima, se merece. Además, hay una cuestión de seguridad física y psicológica, que contiene, desde el daño producido por haber sido engañado, hasta el riesgo de contagio de enfermedades de transmisión sexual (ETS). Ahora bien, se ha de evitar caer en la obsesión. Una vez conocida la historia, no se ha de rentabilizar para machacar al perpetrador o para seguir torturándose.

"Ahora, ella me tiene controlado.

No puedo hacer nada, me tiene atado.

Pregunta por todo, desconfía de cualquier cosa".

A menudo, trabajo con personas que me revelan una infidelidad cometida hace años que mantienen todavía oculta a su pareja. Las razones que esgrimen para no haberla contado son el miedo a no ser perdonados, a las represalias o, incluso, a querer proteger a la persona que ha sido la víctima.

Respeto tal decisión, pero creo sinceramente que no es sano en absoluto el haberlo ocultado y no conceder a la persona engañada el derecho a conocer la verdad sobre su matrimonio.

b. Debe finalizarse del todo

Para que una infidelidad se supere debe acabarse definitivamente con ella y no sólo parcialmente.

Esto requiere cortar con la otra persona a todos los niveles y por todos los canales: ni verse físicamente, ni llamarse por teléfono, ni enterarse por otras personas de cómo le va.

Ambos cónyuges deben atravesar "un proceso de duelo", que puede durar años. Se trata de un proceso doble:

> **a)** Por un lado, debe haber lugar para que la parte que ha sido víctima pueda manifestar la ira, el estupor y la perplejidad ante lo sucedido. Inevitablemente, sentirá ansiedad de ver que su relación podría haber saltado por los aires y también quedará tocada su autoestima –por el hecho de haber sido dejada de lado–. Tendrá sueños al respecto y momentos en que toda su ansiedad se reactivará ante un recuerdo o una sensación, cuando rehaga la historia y se dé cuenta de que en aquellos momentos era engañado/a. La parte causante no lo entenderá y querrá restablecer cuanto antes la comunicación, la sexualidad y dejarlo todo atrás.

b) Por otro lado, la parte infiel también necesitará elaborar su propio duelo, sobre todo si se había establecido una relación personal, una sexualidad intensa o unas vivencias especiales con el/la amante por el que se entró en una intimidad profunda. Es algo muy costoso de entender por parte de la víctima, que también querrá dejar atrás, y cuanto antes, todo el asunto.

Con todo, siempre aconsejo que, cuando vienen recuerdos y sensaciones, es mejor que no se compartan con la pareja, ya que se reactivan todas las alarmas.

c. Una infidelidad nunca se olvida, pero se puede perdonar

Una infidelidad es como una herida física muy profunda. La sanidad no es instantánea ni tan rápida como se quisiera, sino que se da a lo largo de un proceso. Duele mucho al principio, se va curando y, al final, queda para siempre una cicatriz (recordatorio de que existió una herida).

Para la persona que ha sido la víctima, lo sucedido es, en primer lugar, injusto, pero también terrorífico y devastador. Atraviesa una situación inédita, que nunca hubiese esperado que sucediera. Ha perdido algo tan sagrado como "la confianza". Pero hay un hecho ineludible: el matrimonio sigue estando en sus manos y tiene que decidir si puede continuar o no.

La única medicina eficaz para tanto dolor generado es el perdón. El perdón descarga, libera y nos devuelve a la realidad de quién somos y no de quién nos gustaría haber sido.

El perdonar y el ser perdonado nos permite seguir avanzando hacia la madurez emocional y moral, y nos devuelve otra vez las riendas de nuestra vida emocional.

La infidelidad nos hace entender que, en primer lugar, nos hemos fallado a nosotros mismos. Nos sentimos defraudados con quien creíamos ser. Hemos fallado a nuestros valores y, si somos creyentes, somos conscientes de haber sido infieles a Quien siempre se ha mostrado fiel en nuestra vida.

En segundo lugar, hemos fallado a la persona a quien creíamos amar de forma tan sólida. Le hemos producido tanto dolor y tanto sufrimiento, que casi elegiríamos no seguir viviendo. Hay que añadir la lista de personas a las que hemos dañado: hijos, familiares, amigos, etc.

Hay que perdonarse a uno mismo, así como perdonar a quien con su acción nos ha hecho sentir tan miserables.

En definitiva, vivimos gracias al perdón. Es como vivir gracias a un órgano trasplantado; siempre hay un sentido de gratuidad y gratitud.

Al perdón sincero se añade la restitución. Restituir significa poder devolver a alguien lo que se le ha quitado. La restitución en la antigüedad no sólo era justa, sino ampliamente generosa. Se trata de devolver con generosidad a nuestro matrimonio lo que antes poseía.

Al abordar la restitución es cuando se hace evidente que, para compensar lo ocurrido, no bastará con el arrepentimiento y las buenas intenciones. Para en verdad demostrar que se ha aprendido a "ser fiel" hará falta algo más que ya "no ser infiel". Significará asumir la complejidad de la vida y seguir amando con profundidad e intensidad, a pesar de tanto daño infligido.

CAPÍTULO 10

¿Qué hacer con el desamor?

"Las muchas aguas no podrán apagar el amor,
ni lo ahogarán los ríos".

Cantar de los Cantares 8:7

"He aprendido que, si bien es muy fácil infligir heridas a quien amamos, es mucho más difícil a menudo curarlas".[1]

¿Se puede extinguir el amor? ¿Es acaso el amor como un manantial que de tanto dar se llega a secar? ¿Cómo es que la Biblia expresa de forma tan rotunda que nada ni nadie podrán apagar esa llama -metáfora del amor- que arde con tanta fuerza?

Cuando en alguna boda me invitan a compartir la reflexión nupcial, me gusta recordarles a los novios que, aunque ese día cueste creerlo, a lo largo de su vida experimentarán momentos *"de muchas aguas",* de serias crisis y dificultades; pero también les digo que el énfasis y el realismo del texto bíblico no están en el potencial destructivo de las crisis, sino en el poder invencible del amor.

Sin embargo, reconozco que siento un estremecimiento cada vez que una pareja –casi siempre, la mujer- esgrime como motivo de consulta la falta de amor por su cónyuge. A menudo, es un tema de difícil resolución que suele contar con la aceptación fatalista o conformista del marido. Cuando esto ocurre, sé que el matrimonio está seriamente afectado, que el daño se encuentra en los mismos cimientos de su relación y que la restauración, si se quiere luchar por ella, será ardua y larga.

"Ya no siento nada por él...
Quizás algo de cariño y pena por los años que hemos vivido juntos,
pero eso es todo.
Voy tragando...
Hasta ahora, cerraba los ojos y seguía; pero la realidad es que muchas noches me acuesto llorando por lo infeliz que me siento".

---

1 Sparks, N".*La Boda"*.

Muchas veces, en estos casos sólo suele darse una única sesión en el proceso terapéutico, ya que la pareja ha venido *"presionada"* por los amigos o por los padres, que viven con alarma o estupefacción la afirmación de desamor.

Se acude al terapeuta no buscando cambios, ni con deseos de analizar su vida o querer entender por qué se ha llegado hasta tal desierto, sino para complacer al referente.

A veces, la consulta sirve para exonerar la culpa al recibir *"el certificado de defunción de su matrimonio"* por parte del psicólogo. Es como si la persona se dijera a sí misma: *"Hemos intentado hasta la terapia de pareja y no ha funcionado"*.

En otras ocasiones, la consulta al psicólogo será hecha de forma individual por la persona que ya no ama. Si el psicólogo no valora como muy significativo el vínculo matrimonial, es muy probable que se dé como respuesta profesional una confirmación válida de ese desamor para poder pasar a ser feliz y autorrealizarse.

Por lo general, la persona que ya no ama no suele presentar síntomas importantes de relevancia clínica –tales como depresión o un trastorno de la personalidad-. En algún caso, puede aparecer un cierto nivel elevado de ansiedad por tener que afrontar la ruptura o por vislumbrar el futuro, pero la situación normal consiste en todo lo contrario: la persona suele presentarse muy segura y vehemente en su argumentación.

"No le amo, no le amé y no le amaré.
Me casé por motivos equivocados".

El terapeuta se halla frente a una autoafirmación de la persona.
De hecho, suele coincidir con un momento de autoafirmación en otras áreas de su vida: cambios profesionales, cambio del estilo de vida o incluso de sus valores. El desamor es presentado como una necesidad para su supervivencia emocional y existencial. No se puede seguir siendo feliz con esa relación. Es como si la persona le dijera al terapeuta:

"¿Me vas a decir a mí lo que significa amar?"

Resulta muy difícil intentar que alguien modifique esa postura, ya que forma parte de su autoafirmación existencial. La persona está expresando:

"Quiero no amar", sentenciaba una mujer al repasar la historia de su matrimonio.

¿Cómo es posible que parejas que han entrelazado sus cuerpos, que han vivido las emociones más profundas y que tejieron juntos su existencia, lleguen a ignorarse y, aún más, a rechazarse de forma abierta?

Definimos el desamor como la falta absoluta de amor hacia la otra persona con la que se está unido en matrimonio. Con mucha frialdad, alguien de los dos empieza a relatar toda una serie de conductas que expresan el desapego existente:

- Se elude el mínimo contacto físico.

- Se intenta no coincidir durante el tiempo libre.

- Se rechaza la sexualidad, incluso lo más mínimo, hasta el punto de no desvestirse ante la otra persona.

- Se detestan los ronquidos del otro o los ruidos mientras come.

- Se siente su olor desagradable.

- Su sola presencia llega a producir náuseas.

- Desaparece cualquier detalle que pueda significar algo de afecto o cariño.

- No se tienen en cuenta los aniversarios ni las fechas importantes.

- No se le reconoce a la otra persona ningún encanto físico o intelectual.

- Su presencia entre el grupo de amigos/as produce vergüenza o desagrado.

Para mantener el desamor, la persona reinventa la historia del matrimonio, la interpreta en tonos muy negativos, buscando la coherencia a su posición actual. Su memoria se vuelve selectiva con respecto a la inexistencia de buenos momentos o episodios positivos vividos juntos como pareja. Su comportamiento actual es de desprecio y desagrado hacia la otra persona. Duda si algún día la amó y, si cree que lo hizo, dirá que fue un error hacerlo. Se equivocó al creer que amaba y en la elección de la persona, y no quiere seguir equivocándose el resto de su vida.

Nos preguntamos, perplejos y atónitos, ¿cómo han llegado hasta aquí?, ¿se trata de un proceso progresivo o se ha instalado de súbito ese sentimiento?

Básicamente, hay dos estados bien diferenciados entre los matrimonios que llegan al desamor:

1. El matrimonio joven, donde el desamor se produce por un desgaste meteórico en la relación. El énfasis del desamor no está en la historia vivida –que, de hecho, en este caso es muy breve-, sino en la elección equivocada al casarse. No sucede siempre, pero sí suele ser frecuente en este tipo de desamor, la existencia de una tercera persona (con vínculos reales, emocionales o virtuales), que sirve de comparación respecto al cónyuge que se tiene. Otras veces, el desamor aflora porque la persona anhela un estilo de vida en el que desea entrar (mucho más liberal e individualista) y para el cual la relación actual es un obstáculo.

2. El matrimonio maduro, cuyo desamor es fruto de un largo proceso. Se casaron, han criado hijos y ahora viven en dos mundos diferentes. Quizás, el esposo se dedicó en cuerpo y alma al trabajo, y la esposa, a criar buenos hijos. La persona que ya no ama se siente ignorada en sus necesidades emocionales.

Hay muchas experiencias repletas de desafecto que llenan sus recuerdos. Experiencias regadas con lágrimas y que, en el devenir de los años, han cristalizado en resentimiento.

Razones por las cuales el matrimonio llega al desamor

Ante una situación de desamor, cabría preguntarse: ¿Es posible que dos personas vuelvan a amarse cuando su historia en común está repleta de decepciones?

a. Entender el amor como una emoción

El hecho de fundamentar el amor en las emociones forma parte de un sistema filosófico en el que *"el hombre contemporáneo busca las emociones sobre todo porque las ve como un medio para ser él mismo".* [2]

En Occidente, después de racionalizar durante siglos nuestra vida y nuestras experiencias reprimiendo nuestras emociones, ahora se aboga por la desinhibición; se substituye la máxima de "pienso, luego existo" por "siento, luego existo".

Vivimos en una "sociedad altamente adicta a la adrenalina", sedienta y expectante de emociones intensas más que de sentimientos profundos. La vida emocional proporciona color, diversidad, desinhibición, impulsividad y cambio. Aquello que logra emocionarnos es cierto, veraz y, sobre todo, auténtico. Si yo siento que no amo a alguien, es que en realidad no le amo. La cadena sigue de esta forma: si no siento, no tengo ilusión, y si no tengo ilusión, es que el amor se ha terminado.

El psiquiatra Enrique Rojas, al tratar el tema del desamor, argumenta que éste en buena parte es debido a que "algo tan grande, frágil y exigente como es el amor" no es posible asumirlo sin una madurez psicológica.

---

2 Lacroix, M. *"El Culte a l'Emoció"*. Edicions La Campana. Barcelona, 2006, pág. 45.

En la actualidad, existe una combinación de factores que van desde el "culto a la emoción", la superficialidad en las relaciones personales, la búsqueda constante del placer y el temor al compromiso. Todo ello está potenciando lo que Enrique Rojas denomina "la personalidad inmadura", que es *"aquella que no está preparada para ninguna empresa seria y grande en la que sea necesaria una lucha deportiva y valiente, que no se arredra ante los problemas o dificultades que antes o después habrán de sobrevenir... No sabe lo que quiere, es cambiante, no se conoce bien a sí misma, tiene una frágil filosofía de vida... está llena de contradicciones y muestra una escasa responsabilidad".*[3]

Si el lector me permite la comparación, sería como dejar un ordenador muy valioso a un niño para sus juegos.

A todos nos agradan los beneficios que se derivan de la intimidad, pero, antes de entrar en una relación de pareja, debo conocerme lo suficiente como para saber que mis emociones y mis sentimientos, aun siendo fantásticos, son influenciables, volátiles y con fecha de caducidad. En cuanto estos caduquen y las desilusiones vengan, he de poder responderme de forma honesta si lucharé con toda mi energía para poner de nuevo a flote la relación y si sostendré mi compromiso de amar a la otra persona hasta el final.

b. La rutina

No es que el matrimonio sea "la tumba del amor" o "la muerte del romanticismo" como algunos proclaman, el problema está en la forma en cómo se vive el matrimonio.

Por definición, la rutina se basa en hacer las cosas de la forma acostumbrada. Todos vivimos inmersos en formas de rutina que incluyen desde nuestra higiene, nuestro cuidado físico, nuestra actividad profesional y, por supuesto, nuestras relaciones personales.

---

3 Rojas, E. *"Remedios para el Desamor".* Ediciones Temas de Hoy. Madrid, 2007, págs. 174-175.

Para desdramatizar y hacer sonreír un poco a las parejas con las que trabajo, suelo compartirles la anécdota bien conocida y practicada por todas las parejas acerca de la costumbre de dormir juntos.

Al inicio de nuestra relación de pareja –les digo–, suele sobrar espacio en ese lugar tan querido que denominamos "lecho conyugal" (testigo y cómplice de nuestro descanso y de nuestra intimidad). Nos acostamos literalmente "pegaditos" el uno al otro y nos maravillamos de tanto espacio sobrante en un lecho tan grande.

Al cabo de un tiempo, sin embargo, nos sorprendemos con un hallazgo inquietante y desagradable: el otro ronca, emite ruidos molestos, se mueve o habla mientras duerme. Además, desprende calor y los cuerpos están pegajosos.

Transcurridos unos años, y de mutuo consenso, introducimos el televisor o el ordenador en la habitación, tenemos nuestra colección de libros y revistas junto a la cama e incluso decidimos desdoblar la cama nupcial en dos camas individuales –toda una metáfora de nuestro matrimonio; al fin y al cabo, nos decimos, eso es solo un "mueble".

Ninguna relación humana, por atractiva que sea al principio, resiste el transcurrir del tiempo. Nos acostumbramos a todo en esta vida, incluso a convivir de forma totalmente mecánica con las personas que amamos y, al hacerlo, defraudamos las expectativas que la otra persona tiene acerca de la vida o de la vida en pareja.

Abandonamos paulatinamente rituales y conductas basadas en la espontaneidad, en el cortejo y en las ganas de sorprender a la otra persona. No sólo la convivencia, sino también la sexualidad y el tiempo libre se tornan mecánicos y aburridos.

"Aparcamos el romanticismo hace años", me decía con tristeza una persona. Pertenecen ya al recuerdo las complicidades, los poemas, las flores, las sorpresas, las cenas a solas, los paseos a la orilla del mar, o las puestas de sol contempladas en armonía.

La rutina ha hecho que el amor se evapore. Se ha ido, ya no está.

c. El crecimiento desigual de los cónyuges

Siempre he afirmado que la esencia de todo ser vivo consiste en crecer, y por supuesto es uno de los propósitos esenciales de toda persona y de toda relación que se precie viva, seguir creciendo hasta el final. Sin embargo, estos años he visto que el matrimonio en su esencia puede ser concebido de dos formas muy distintas:

1. Existe la "visión dinámica" del matrimonio. Se trata de aquel tipo de relación en la cual el esfuerzo, el enriquecimiento y la lucha son ingredientes ineludibles y esto es asumido por las dos personas.

2. No obstante, también se da la "visión estática" de la relación de pareja. En este caso, lo más trascendente fue encontrarse, conocerse y casarse. Hubo esfuerzos por consolidar y crecer en la relación, pero luego desaparecieron. Esta visión estática insta a la comodidad, al estancamiento, e incluso a la resistencia al cambio.

   Esta visión es contraproducente porque, habitualmente, las personas siguen creciendo y madurando a lo largo de su vida. Sucede que, si la relación se estanca por una parte, mientras que por la otra crece, habrá una colisión de distintas dinámicas.

   Entiendo que se trata de un ejemplo muy simple, pero a nadie se le ocurriría usar la misma talla de zapatos por siempre para unos pies en pleno desarrollo, ya que, de ser así, el pie acabará por no encajar en el zapato.

¿Qué sucede cuando una de las dos personas, por diferentes razones, crece espiritual, emocional, intelectual o profesionalmente con respecto a la otra?

En la actualidad, está bien visto que una mujer tenga el mismo nivel de crecimiento que un hombre, aunque no estoy seguro de que estemos preparados para que su crecimiento llegue a ser, incluso, mayor.

En nuestra cultura tradicional, la mujer culminaba su crecimiento intelectual e incluso profesional para dedicarse a la crianza y educación de los hijos. Esto ha dado lugar a matrimonios con niveles de crecimiento muy desiguales.

¿Qué sucede cuando una persona, detiene su crecimiento por enfermedad emocional, física o incluso por comodidad? Creo, sinceramente, que, si es por enfermedad, el amor tiene todavía que brillar con más fuerza que antes. Sin embargo, si hay resistencias a crecer, eso puede engendrar resentimiento.

d. El maltrato

Cualquier forma de maltrato conduce al desamor. Dado que la violencia y/o la negligencia resultan antagónicas con el amor, es imposible, y hasta insano, amar a una persona que nos está hiriendo de forma continuada. Seguir en una relación de maltrato no es amor, sino dependencia emocional.

Es obvio que "*el maltrato activo*" conduce indefectiblemente al desamor. Estoy hablando de aquel maltrato que se basa en gritos, descalificaciones, insultos, amenazas, coacciones, imposición de relaciones sexuales o incluso violencia física.

No resulta tan evidente, a veces, para las parejas que "*el maltrato pasivo*" también acaba con el amor. Me refiero a aquella actitud que consiste en no conceder un lugar prioritario a la otra persona, la ausencia de interés por la relación, la desconsideración o la falta elemental de sensibilidad.

Por último, debo mencionar que convivir con una persona adicta, también desemboca en el desamor. Puede tratarse de una adicción al trabajo, al juego, a la comida, al deporte, al sexo, al ordenador, o a cualquier sustancia tóxica. Todo tipo de adicción interfiere en la relación de pareja, relegando al esposo/a a un segundo orden y robando tiempo, energía o dinero que sólo pertenecen a la persona a la que un día se afirmó amar.

La persona maltratada se siente hundida, disminuida y devaluada en su propia autoestima, y como estrategia de supervivencia sólo le queda dejar de amar.

No es mi intención repetir en este punto aspectos que se analizan con más profundidad en el siguiente capítulo del libro sobre la violencia entre la pareja. No obstante, debo decir que, sin duda, la violencia en cualquiera de sus variantes siempre lesiona gravemente la dignidad y esencia del ser humano.

e. La existencia de una tercera persona

Es difícil saber qué fue primero: si el desamor llevó a la infidelidad o si la infidelidad llevó al desamor. También es cierto que la mujer puede llegar al desamor sin que necesariamente haya una tercera persona, mientras que el hombre difícilmente sobrelleva el desamor sin otra pareja.

"Se entró en una apatía y una desilusión.
Había falta de pasión e ilusión en la relación.
He conocido a otra mujer.
No estoy seguro de qué representa ella ni cuál es el futuro.
Ahora sólo sé que no puedo desengancharme".

Sea como fuere, se encuentra en la tercera persona un contraste, alguien que deslumbra, nos sorprende y nos hace revivir emociones ya olvidadas o jamás experimentadas. Pensamos que ahora sí hemos acertado en la elección de la pareja.

Todo suele empezar por una comunicación muy intensa –eso sí, a espaldas del cónyuge,- para continuar con emociones muy intensas y, probablemente, acabar de forma poco original (quiero decir, teniendo relaciones sexuales).

Muchas veces se utiliza el argumento de la tercera persona para convencernos o convencer a los demás de que el amor del matrimonio ya no existe.

Como ya había comentado con anterioridad, siempre he sostenido que: "Nadie en esta vida se merece ser engañado". Desde este punto de partida, siempre he recomendado que por integridad, decencia y por el amor que se ha tenido, el cónyuge tiene derecho a ser informado sobre esa aventura, aunque esto implique que las cosas pueden acabar mal.

Sólo apuntar aquí que las nuevas tecnologías están permitiendo, por primera vez, tener "relaciones virtuales" (es decir, con apariencia de realidad). Todo lo que se transmite virtualmente no tiene nada de inocente, ni de inocuo. De hecho, explicar nuestras penas y desgracias a una amistad virtual, suele abrir el camino para que un día se convierta en una amenaza real para nuestro matrimonio.

f. Haber fundamentado la relación en los hijos o en el activismo

El desamor puede darse en un matrimonio típico de clase media, en el que ha habido un reparto de roles bastante drástico entre marido y esposa.

Un caso: Por una parte, está el marido, que es a la vez empresario. Muchas veces, hereda un negocio familiar y otras lo inicia con mucho esfuerzo. Es una persona que ha dedicado gran parte de su vida al trabajo y a intentar que éste fuera lo suficientemente rentable como para que a su familia no le faltara nada.

Se presenta a sí mismo como una persona sacrificada, honesta, cumplidora y proveedora de las necesidades económicas de su familia. Ha trabajado duro en esta vida. Nadie le ha regalado nada y, de alguna forma, se ha hecho a sí mismo. Siempre ha estado luchando con proveedores, con clientes y con la competencia, lo que le ha supuesto tener pocas vacaciones y poco tiempo libre.

En este patrón de marido, también encajaría el perfil del profesional de alta titulación: médicos, arquitectos, ingenieros, etc. Personas que han estado luchando, desde que se licenciaron, con horarios ilimitados, turnos nocturnos y festivos, viajes constantes, etc.

Por otra parte, está la esposa, que más que esposa se considera madre. Ha dado a luz, ha criado y educado a sus hijos, sufriendo hasta lo indecible para que estos fueran personas de bien.

Los hijos demandan mucha energía del matrimonio que, especialmente, les ha suministrado ella. Su presencia en la familia ha permitido compensar mucho déficit y ausencias del padre.

Ahora que los hijos han crecido y que la vida profesional del marido se ha estabilizado, muchas veces el matrimonio se siente vacío de su esencia.

Cuando los hijos se marchan o se vuelven más autónomos y el nido se queda vacío, para la madre, se van unos amigos. Es como si entonces el matrimonio quedara al desnudo en toda su crudeza, y a la pareja, poco o nada les queda que decirse.

Pautas para enfrentar el desamor

a. ¿Es posible reconstruir un puente sólo desde una orilla?
No voy a ser ingenuo en cuanto al tema del desamor. Sin duda, el gran problema del desamor viene dado por el reconocimiento unilateral de la situación (por eso, la pareja no aúna esfuerzos y es tan duro el proceso terapéutico). Además, no se puede obligar a nadie a amar, cuando precisamente elige no amar. Es más, la sola insistencia provoca más desamor.

Siempre tomo prestada una metáfora de la ingeniería: Cuando un puente se ha roto, lo más oportuno sería reconstruirlo desde las dos orillas; pero cuando no se quiere reconstruir desde una orilla, creo que es bueno, de forma reflexiva pero constante, seguir trabajando con esperanza hasta poder convencernos del todo de que, quizás, el puente jamás volverá a existir.

Además del reconocimiento de responsabilidad que pueda haber respecto a la situación a la que se ha llegado, recomiendo, por parte de la persona víctima del desamor, *"volver a soplar en las frías cenizas del amor"* de la siguiente forma:

1. **Con afecto**

   Con un amor tierno e incombustible, sabiendo que ese amor será aprobado y reprobado y que tendremos que hacer frente al dolor que supone ser ignorados, desatendidos, tratados con aspereza... Nunca deberemos buscar la confrontación, sino más bien el objetivo de mostrarle a la otra persona nuestra capacidad de resistir a su desamor con amor.

2. **Con flexibilidad**

   Con disposición al cambio por nuestra parte. Hacer uso de la flexibilidad como lo opuesto a la rigidez. Es sano estar abiertos a cambiar hábitos, conductas o formas de proceder en cuanto a la convivencia, lo cual no implica cambiar nuestra esencia.

3. **Con aprecio**

   Con sincero aprecio hacia la persona y hacia la relación por toda la riqueza que ha llevado a nuestra vida. Se debe querer en todo momento el bien de la otra persona y no perder nunca la perspectiva de que la relación es mucho más amplia en su historia y contenido que lo que estamos experimentando en el presente.

4. **Con dignidad**

   Se tiene que hacer frente al desamor desde la posición de quien sigue amando, quien se mantiene fiel al compromiso, quien aguanta su postura e intenta entender lo que está sucediendo; pero también desde el propio respeto hacia uno mismo, no admitiendo, bajo ningún concepto, insultos, engaños o vejaciones.

b. ¿"Amar" o "querer amar"?

Ya hemos argumentado que el amor es más que una emoción o un sentimiento. Es, sobre todo, una decisión que se basa en un compromiso de luchar con toda nuestra energía y de llegar hasta el final con la persona que inicialmente nos atrajo. Por supuesto que, además, intervendrán desde factores biológicos que potencian nuestras emociones y nuestra sexualidad, hasta factores inconscientes que nos permiten elaborar sentimientos muy profundos.

Es una obviedad que ninguna relación humana es perfecta; todas están llenas de desencuentros, desilusiones, fracasos y frustraciones. La imperfección se compone de mis propias heridas emocionales y de mis áreas todavía no elaboradas, así como de las de la persona a quien amo, y con los factores de riesgo que siempre existen en toda convivencia.

Es demasiado peligroso entender la relación de pareja basada única y exclusivamente en una elección, en la cual hay dos posibilidades: acertar o equivocarse. "*Me equivoqué*", afirma la persona que ya no ama. No lo cuestiono, es así. Todos nos equivocamos.

"No elegimos bien. No teníamos todos los criterios o toda la información posibles. La persona que elegí amar no es como pensaba, pero, si he de ser honesto, yo tampoco he sido para ella, probablemente, lo que esperaba".

Es cierto que un automóvil sin gasolina no va a funcionar, pero el hecho de que se haya agotado el combustible, no significa que el motor esté defectuoso. Sólo hay que asumir que el depósito se halla vacío y llenarlo.

c. El amor está destinado a crecer
El amor –como todo lo que tiene vida- está destinado a crecer y no sólo a "sobre-vivir", que, etimológicamente, implica vivir sobre los demás, encima de los demás o incluso encima de mis miserias.

El amor siempre es "*perfectible*" y "*defectible*". Se puede mejorar o puede empeorar.

Descubrimos que el arte de amar, como cualquier otro arte, requiere motivación, disposición a aprender, tiempo y paciencia. Y nos congratulamos, con el pasar de los años, al ver cómo nuestra capacidad de amar ha crecido y sigue creciendo.

Sin embargo, con el transcurso del tiempo, también podemos lamentar las oportunidades perdidas, los mensajes desoídos, nuestra resistencia absurda y tozuda al cambio, y la falta de esfuerzo en querer agradar a la otra persona.

Nos equivocamos estrepitosamente cuando creemos que el amor crece con nuestra pasividad. El amor crece con nuestro esfuerzo, con nuestra determinación, con nuestro deseo de seguir adelante.

Nunca debemos dejar de trabajar la tierra si queremos comer su fruto.

Al igual que la falta de crecimiento en un organismo vivo siempre es disfuncional, la falta de crecimiento en el amor siempre debe ser considerada con atención e incluso con preocupación.

d. El amor es para personas maduras

No voy a repetir el argumento de Enrique Rojas sobre la relación entre desamor e inmadurez, pero sí quisiera subrayar un punto que me parece esencial.

"Pensaba que el matrimonio era otra cosa", esgrimía un marido que ya no sentía amor.

La persona que pretende amar debe aprender a priorizar por encima de todo y de todos a la persona a quien ama. Priorizar implica establecer un orden y conceder a la relación de pareja el orden pertinente.

Sucede, a veces, en personas inmaduras emocionalmente y poco formadas en su organización interna, que el no haber asumido todavía una autoestima equilibrada, hace que esta derive no sólo de su relación de pareja, sino de otras muchas cosas.

Algunos ejemplos prácticos de lo que intento decir serían:

- Aquella persona que vincula de forma intrínseca su valor como persona al éxito y que entrará en una relación emocional con su trabajo, le resultará imposible establecer límites en sus horarios, en sus vacaciones o en sus actividades extralaborales. Esta relación con el trabajo derivará, muchas veces, incluso en una adicción. Todo ello provocará en la pareja desamor, al verse desatendida de forma constante en la relación.

- La falta de coraje en "cortar el cordón umbilical con la familia de origen". Es una actitud que generará no pocos conflictos en su matrimonio. Se compartirá información con los familiares que debiera haberse circunscrito al ámbito de la pareja o se permitirán intromisiones de los mismos. en el matrimonio; con lo cual la pareja se sentirá relegada a un segundo orden o entrará en una relación indebida de competencia.

- Individuos con un ingrediente narcisista en su personalidad, que necesitan constantemente seducir y vivir historias. Para ellos, agradar o incluso enamorarse de forma cíclica les mantiene en forma ("adictos al romance") y les hace sentirse vivos. Llegarán a confundir el amor romántico con el amor maduro y sentirán "falta de ilusión" en una relación a largo plazo como es el matrimonio.

- Buena parte de la esencia y de la satisfacción en el matrimonio se basa en la resolución sana y sabia del binomio existente entre "la autonomía y la intimidad". A primera vista, parecen dinámicas antagónicas, pero, bien llevadas, producen un gran sentido de plenitud.

Aunque no sucede así en todos los casos, suele ser el hombre quien reclama más autonomía, y la mujer, más intimidad. No saber pactarlo de forma sana o pretender imponer una dinámica sobre la otra, son actitudes que contribuyen a la desaparición del amor.

Un ejemplo de esta situación se daría cuando la práctica de un deporte, el gusto por una afición o el tiempo con los amigos puede provocar que la otra persona se sienta abandonada.

CAPÍTULO 11

La peor de las cárceles: el maltrato y la violencia en el matrimonio

"Y creó Dios al hombre a su imagen, a imagen de Dios lo creó; varón y hembra los creó".

Génesis 1:27

"El respeto es un derecho que debe exigirse y al que no se puede renunciar.
El respeto es debido, nada debe hacerse para merecerlo y, por ende, no puede perderse.
Cada individuo debe respeto al otro".[1]

Entiendo como maltrato en la pareja *"todo tipo de agresión (verbal, física, psicológica o sexual) contra la otra persona, amparándose el agresor en su posición de poder, ya sea por razón de sexo, estatus o incapacitación de la víctima".* Aunque la víctima no oponga resistencia, se considera abuso. Asimismo, también considero maltrato la negligencia en apartados tales como la responsabilidad económica y la situación legal.

A menudo, la persona violenta se disculpa, se justifica y minimiza la conducta abusiva. Difícilmente sigue una terapia aduciendo, cuando baja la tensión, que ya no la necesita y convenciendo a la víctima, mediante la manipulación, de que el tema deben arreglarlo sólo entre ellos.

Muchas veces, hace falta coraje por parte del terapeuta o del consejero para hacer frente a la violencia en la pareja:

•   Se ha de definir con mucha claridad qué es una conducta violenta o abusiva (por ejemplo: los gritos, insultos, las mentiras, etc.).

•   No se debe permitir que la violencia se traslade al entorno terapéutico de la consulta -cuando se tiene a la pareja delante-, ya que, de tolerarla, la víctima se va a sentir desprotegida incluso en ese ámbito.

---

1 Perrone, R. y Nannini, M. *"Violencia y Abusos Sexuales en la Familia".* Ediciones Paidós. Barcelona, 1997.

- El abusador puede manifestar dos posiciones ante el terapeuta: 1) **Desafiante y agresivo**, con la finalidad de medir las defensas del terapeuta e intentar dominarlo. 2) **Sumiso, complaciente** y hasta **buscando complicidad**, siendo esta la postura habitual, que tiene como objetivo despistar al terapeuta y hacer que la terapia fracase.

En la inmensa mayoría de casos de violencia de pareja, esta se da en un largo proceso que tiene sus raíces en el noviazgo. De hecho, ahí se estaban probando *"las defensas de la víctima".* Por eso, siempre aconsejo tratar esas conductas de maltrato con la debida seriedad y, si es necesario, cortar la relación; más aún, si hay una historia de maltrato con otras personas de forma previa.

Técnicamente, se considera *"violencia simétrica"* cuando se da entre la pareja, y *"violencia asimétrica"* cuando se da entre un adulto y un menor. En el presente capítulo, sólo hablaremos de la violencia simétrica y de forma parcial.

Por razón de espacio y contenido del libro –de carácter general- no voy hacer alusión a dos tipos más de violencia que se dan en el matrimonio; en parte porque su incidencia es estadísticamente más baja:

- La violencia mutua entre la pareja, en la que ambos cónyuges entran y participan en una espiral creciente. Se construye un matrimonio donde la violencia se integra en la convivencia normal. Aquí los roles de abusador y víctima se intercambian en el proceso.

- La violencia que algunas mujeres ejercen sobre sus maridos. No suele ser física, sino psicológica y, sobre todo, ligada a la sexualidad: Negación sistemática o caprichosa de la sexualidad, vejaciones en el área sexual o infidelidades verbalizadas para dañar la autoestima. Aunque no se ha constatado de forma estadística, también se cree que hay una violencia oculta, que consistiría en el envenenamiento progresivo del marido con sustancias químicas.

Son un matrimonio de unos 50 años, visiblemente tensos e incómodos al tener que hablar sobre ellos y su dinámica de pareja:

"Nos hemos hecho de todo, en los años que llevamos juntos, menos llegar a las manos. Ahora hacemos vida aparte: comemos y dormimos por separado. Es horrible vivir así –explica él-.

No nos aguantamos. Él me insulta, grita, rompe cosas, amenaza con hacerme daño: Un día soy capaz de acertar y matarte –explica, entre sollozos, la mujer-.

Nos faltamos los dos al respeto".

El marido añade:

"Mi padre siempre me maltrató, era un hombre violento. Solía acabar sus discusiones conmigo diciéndome: "A ver si un día revientas". Sólo una vez, recuerdo que me agarró por el hombro y me dio un buen consejo".

Al evocar este recuerdo, el hombre se emociona y llora.

Factores psicosociales que favorecen el aumento de la violencia en el matrimonio

A las personas no les gusta oír la siguiente sentencia, pero es mi convicción, después de haber trabajado con bastantes casos de maltrato, que potencialmente todos podemos ser maltratadores. Bajo ciertas situaciones de estrés, conflicto o mala gestión de la agresividad, podemos entrar en patrones de maltrato.

a. Características psicológicas del abusador

* **"Abusador-abusado"**

  Muchas veces, el abusador ha sido antes abusado de forma abierta o de forma pasiva. Se habla del *"abusador-abusado".*

  Es un tema que tiene su origen en la familia de la que se procede., donde la persona ha sido antes maltratada, tratada con crueldad, humillada e incluso, a veces, violada. Como subraya el Dr. Rojas Marcos, en su obra *Las semillas de la violencia*, la violencia se aprende.

- **Persona muy insegura**

El dominio o abuso del otro es una forma de debilidad, aunque también de placer y de crueldad.

Los celos patológicos son una forma de maltrato que se basa en la inseguridad y la desconfianza. Consiste en preguntas constantes, interrogatorios interminables y prohibiciones absurdas que constituyen la cadena que paulatinamente va ahogando a la persona que las sufre.

La relación con el otro no puede ser ni recíproca, ni en términos de igualdad. El otro se convierte en alguien a quien dominar o controlar. De hecho, que la otra persona pueda ejercer su libertad produce pavor.

Por ejemplo, en la violencia verbal, los gritos e insultos son una forma de debilidad y de querer imponerse, en lugar de recurrir al diálogo y la argumentación.

- **Escasa tolerancia a la frustración**

Personas impulsivas, de "sangre caliente" o coléricas; incapaces de reflexionar y meditar sus acciones. Siguen un modelo de acumulación de tensión y posterior descarga. De forma sistemática, la familia abusiva siempre busca "*un chivo expiatorio*" en quien descargar toda la tensión.

- **Personas marcadamente antisociales o psicopáticas**

Personas sin amistades reales, que viven aisladas, lo cual contribuye al secretismo propio donde crece el abuso familiar. Son personas sin sentimientos profundos, cuyas acciones no se ven acompañadas de culpa, ni de responsabilidad.

También puede tratarse de personas paranoicas, excesivamente defensivas y susceptibles y con claras distorsiones de la realidad, así como de personas con trastornos de la sexualidad.

- Personas con dependencia del alcohol o de algunos tóxicos

  El alcohol, en concreto, suele estar vinculado a muchos casos de violencia familiar. También lo están algunas drogas que potencian cuadros psicóticos o desinhiben a la persona, posibilitando reacciones agresivas.

Vivimos inmersos en una sociedad que padece constante tensión y que, a su vez, la genera, haciendo con ello, de forma innecesaria y patológica, que las personas vivan sobrecargadas, y muchas veces, esta sobrecarga se vuelca en las personas cercanas. Es una tensión que se detecta en la forma de conducir, de trabajar y, lamentablemente, en la manera de vivir en intimidad.

b. Características de las familias donde se da la violencia

La familia puede llegar a ser un lugar de sufrimiento indecible, donde los miembros viven sometidos al dolor, las amenazas, y la injusticia; sin duda, la peor de las cárceles. Este tipo de familias, donde la violencia es habitual, tiene como características:

- **Falta de respeto:** Gritos, golpes, amenazas. La violencia hace que el abusador entre en la vida de la víctima derribando sus defensas. Una vez ha entrado, se creará una adicción.

  Hay familias en las que el tono alto ha sido siempre la norma, y hay un estado permanente de tensión, donde cualquier pequeño detalle puede encender la mecha. Este nivel de violencia es muy común en bastantes matrimonios y es importante diagnosticarlo correctamente y no dejar que las personas se justifiquen a sí mismas aduciendo como excusa el trabajo, las tensiones, o los hijos.

- **Matrimonios de riesgo:** Me refiero a aquellas familias con hijos no deseados, sin recursos económicos, o sin trabajo.

- **Matrimonios cerrados:** Se trata de parejas, en las cuales no hay contacto externo, lo cual asegura la supervivencia del abuso.

La hospitalidad siempre es síntoma de salud en una familia, porque significa abrir las puertas, sin temor, al extraño y compartir con él nuestro tiempo y nuestros bienes.

Hay familias en las que todo funciona con un gran secretismo, donde hay una clara división entre ellos-nosotros, los de afuera-los de dentro.

Hay mucho riesgo en familias con creencias religiosas estrictas, y sectas de todo tipo que manipulan el pensamiento y la conducta de las personas. Son personas que se creen por encima del bien y el mal, y que menosprecian la justicia humana.

Proceso del maltrato

La esencia de todo acto de violencia, o maltrato, es que irrumpe en los límites de la persona convertida en víctima, rompiendo sus esquemas defensivos y dejándola en un estado de confusión, desorientación y perplejidad. Entonces la integridad física, emocional, sexual o moral de la persona queda en entredicho, con el riesgo de que la agresión vaya en aumento.

El maltrato no irrumpe de forma brusca, sino que avanzará en brotes o fases. Habrá ciclos de intensidad que se combinarán con períodos de calma, lo cual todavía sirve para desorientar más a la víctima y crearse *"falsas esperanzas"*. Eso sí, los ciclos serán progresivamente más intensos –en cuanto a la violencia-, cada vez se llegará más lejos y, además, serán menos espaciados en el tiempo.

Se empezará hablando fuerte, usando términos despectivos, dando mensajes contradictorios, acortando el espacio físico interpersonal, provocando pequeños zarandeos, conduciendo de forma arriesgada, etc., y, de alguna manera, se disfrutará de las reacciones de temor que provocan en la mujer. Para el agresor, siempre habrá *"una chispa"* que enciende el fuego; es decir, una conducta para él provocativa, real o imaginaria, pero, por supuesto, desproporcionada. Desde su perspectiva, el equilibrio relacional queda roto y, por lo tanto, intentará recuperarlo por medio de la conducta violenta.

Claramente se diferencian tres fases en el maltrato

1. **Tensión creciente:** Hay una acumulación de tensión que se palpa en el ambiente. Es como si el depósito se fuera llenando, creándose la sensación de que puede explotar en cualquier momento.

2. **Agresión:** Se da la explosión en sí, seguida de intentos de justificación, de un falso sentido de perdón y de responsabilizar de lo que ha sucedido a la mujer. Siempre se dirá que ha sido "sin querer".

3. **Amabilidad o luna de miel:** La persona agresiva se transforma, como si de una doble personalidad se tratara. Hay conductas cariñosas y amables, lo que crea un claro desconcierto en la víctima.

La tendencia siempre supone un aumento paulatino y progresivo del control de la otra persona. El ciclo es de intensidad creciente. Se aprovecha el vínculo de intimidad, en el sentido de que, si se tratara de una relación vecinal o de amistad, probablemente se rompería dicha relación, pero la intimidad de la pareja no lo permite.

Consecuencias psicológicas de la violencia

Las consecuencias de la violencia sobre el matrimonio siempre van a ser desastrosas. El matrimonio nunca podrá cumplir ninguno de sus objetivos básicos, tales como: ser un lugar de crecimiento y enriquecimiento mutuo, de intimidad, de cercanía, de seguridad o ser la base estable y sana de una familia.

A continuación, me centro en las consecuencias de la violencia para la víctima.

Algunas frases que las víctimas me han dicho estos años hablan por sí mismas de todo el tremendo daño psicológico:

"Me veo muerta por dentro".

"Hago todo lo posible para evitarle disgustos".

"No se le puede llevar la contraria".

"¿Será mi marido capaz de hacer lo que hizo ese hombre que salió en las noticias?"

a. Consecuencias a corto plazo

- **Angustia y ansiedad:** Habrá dificultades para dormir, incluso claustrofobia u otras fobias (como derivación de la angustia hacia el entorno).

- **Falta de concentración:** Bloqueo, pérdida de memoria, fugas, crisis de cólera.

- **Depresión** que puede llevar a intentos serios de suicidio: Autodestrucción, sentimientos de culpa y baja autoestima inadecuados.

- **Tensión:** Se ha impuesto una carga, salvar a la familia, guardar el secreto, ya que, si denuncia, el agresor irá a la cárcel y esto significará la ruina económica o el descrédito.

b. Consecuencias a largo plazo

- **Sentimientos de culpa:** Por no complacer al abusador, no poder cumplir sus exigencias, que a todas luces son irracionales o injustas (no sabe calmarlo, o darle todo el sexo que necesita, o tener la casa más arreglada).

- **Baja autoestima:** Desvalorización de sí misma; su dignidad ha sido herida, rota o destruida. Posibilidades de suicidio físico o emocional (querrá hacerse daño de forma recurrente).

- **Conductas de alto riesgo:** Alcohol, conducción temeraria, obesidad.

- **Sentimientos de ambivalencia:** Amor y daño son experimentados simultáneamente y proceden de la misma persona. La víctima es deseada y herida, sacrificada y en un lugar de privilegio.

- **Dificultades para gozar de la intimidad:** Habrá temor y evitación de la intimidad. No se podrá gozar de una sana sexualidad, ya que no se deriva del amor, sino del temor y la coacción. Imposibilidad de crear relaciones profundas (por desconfianza).

Acciones sobre la violencia

La acción sobre la violencia debe ser "integral" y debe participar el matrimonio así como otras personas que supervisen el proceso.

a. Romper el "secretismo"
Romper el secretismo es siempre el primer paso hacia la sanidad.

Se debe desmitificar el silencio y llevar a las personas a la confesión, a la explicación de lo que está sucediendo.

Por medio de la influencia de los amigos, de la lectura de libros, de asistencia a seminarios sobre el tema o de ayuda psicológica, las personas tienen que abandonar su situación de marginalidad o de clausura. Deben aprender a salir de la cárcel en la que han estado metidos desde hace tiempo y desafiar al carcelero.

b. Asumir responsabilidad por lo sucedido
El segundo paso, sin excepción, es que la persona causante del daño asuma plena responsabilidad, sin ningún tipo de justificación. Debe aceptar que ha cometido un delito contra la integridad y que hay unas consecuencias morales y legales al respecto.

Se ha de luchar contra un "perdón fácil" y contra un arrepentimiento barato y rápido. La persona debe darse cuenta de lo que ha hecho, ya que, de lo contrario, el círculo violento se vuelve a recrear.

c. Restitución

La restitución implica pagar por lo que se ha hecho, reparar la deuda y ayudar a restaurar la salud física y emocional de la víctima.

Probablemente, a lo largo del proceso de restitución se verá que es imposible reparar todo el daño hecho, y esto servirá para crear conciencia de lo perversa que es la violencia en la pareja.

d. Prevención

En toda adicción, hay recaídas, y suele pasar también en la violencia. Por eso, es recomendable un mecanismo de control y de supervisión para que esto no suceda.

e. Sanidad para la víctima y el abusador

La intervención de la ley, aun siendo muchas veces necesaria, no es suficiente para lograr la sanidad; ya que no se trata únicamente de un problema legal, sino que, a mi entender, también lo es psicológico y moral. La persona que practica la violencia no sólo está enferma, sino que además practica la perversión y la maldad.

En los últimos años, se está trabajando en la sanidad de las víctimas, que por supuesto debe ser siempre la primera acción, pero también en la de los abusadores, para impedir así que sigan con el abuso a otras personas.

Ahora bien, sanidad no siempre va a implicar "continuidad del matrimonio". En todo caso, la persona convertida en víctima tiene que sentirse libre de querer o no continuar ligada a alguien que ha quebrantado la esencia del matrimonio, que ha destruido la vida en común y que incluso podría haber acabado con ella.

Si este proceso no se lleva a cabo, desgraciadamente no es fácil que el maltrato acabe, y continuará incluso después de la separación. El ex-marido seguirá amenazando a su esposa alegando aquello de "eres sólo mía". Existe un concepto perverso del amor como propiedad, y de la propiedad como algo que se puede destruir si es arrebatado. Incluso, ante la posible pérdida o autonomía, se reaccionará con violencia. Por todo ello, la ruptura sólo puede darse a través de la muerte: "Es mía o de nadie".

Resoluciones finales

- La violencia de pareja no tiene nada que ver con el amor. Muchas veces, la perversión del maltrato está justamente ahí, en crear confusión entre "amor" y "maltrato", hacer creer a la víctima que se actúa bajo la bandera del amor.

   El amor cuida el objeto amado, busca su bien y favorece su desarrollo. El maltrato aplasta y daña a la víctima, busca su dominación o incluso su destrucción.

- El maltrato lesiona la esencia más sagrada de todo ser humano: su dignidad y su integridad, se daña aquella dignidad que deriva del hecho de haber sido creados a imagen de Dios. Es muy importante tener claro que nada ni nadie está legitimado para dañar esa imagen y pervertirla.

- Callar, tolerar o transigir el maltrato en nuestros ámbitos de influencia (familia, iglesia, amigos, comunidad) nos convierte en cómplices. No puede haber testigos silenciosos ante la injusticia.

CAPÍTULO 12

La fractura del matrimonio: el divorcio

"Porque el Señor Dios de Israel ha dicho que él aborrece el repudio..."

Malaquías 2:16

"Su matrimonio empezó a caer en picado y, en cuestión de meses, él le pidió el divorcio. Le dijo que estaba enamorado de otra mujer, que él no quería que hubiera pasado, y que esperaba que ella lo entendiera...
Ella no quería esta vida, nunca la había pedido ni esperado y pensaba que tampoco la merecía. Había jugado siempre limpio, había seguido las normas al pie de la letra y había sido fiel..." [1]

El divorcio, lo aceptemos o no, ha venido a ser una de las mayores heridas socioculturales en nuestra generación.

A pesar de que se cuenta con una mayor "cultura del divorcio" por parte de jueces, psicólogos y educadores, el divorcio sigue siendo una de las experiencias más dolorosas –a menudo, traumáticas- y confusas, hasta el punto de crear ruptura en la vida de las personas involucradas: pareja, hijos, familiares., comunidad de amigos, etc.

El divorcio constituye uno de los factores de estrés de primer orden en las personas, de forma individual, pudiendo conllevar, como consecuencia directa, una variada patología psicológica (trastornos de ansiedad, depresión, alteraciones agudas de personalidad, intentos de suicidio, adicciones múltiples).También provoca cambios económicos muy importantes, haciendo que las personas que pasan por el divorcio pierdan poder adquisitivo, vean mermadas sus rentas, deban trabajar más para poder vivir y asuman toda una serie de limitaciones.

Finalmente, hay que señalar que el divorcio siempre conlleva una cierta *"ruptura social"*, ya sea porque hay personas que no saben cómo tratar la nueva situación, o bien porque se toma partido por una u otra parte y se cortan vínculos.

---

1 Sparks, N. "Noches de Tormenta". Roca Editorial de Libros. Barcelona, 2008, pág. 43.

Con frecuencia, el divorcio da lugar a formas alternativas de vida familiar: la familia monoparental (donde uno de los padres queda básicamente al cargo de los hijos) y la familia reconstruida (si la persona divorciada decide rehacer su vida de pareja).

Debo añadir, con mucho realismo, que el divorcio puede suponer *"una salida"* a una relación matrimonial bloqueada de forma crónica o incluso, la "única opción existente" a una situación de disfunción irreversible, por la que, de no separarse, los miembros de la pareja pueden hacerse un daño terrible entre sí.

No obstante, también vengo observando que no pocas parejas llegarán al divorcio sin haber examinado otras opciones, que pasarían por la terapia, asumir responsabilidad o reparar daños infringidos. Estas opciones servirán para provocar una mayor madurez en las personas, proyectar un mensaje a los hijos de luchar hasta el final, y evitar muchas secuelas que acompañan a la ruptura. De hecho, el divorcio suele ser considerado con excesiva rapidez la única opción válida, aunque es la opción más cara (económica, emocional y existencialmente).

Como terapeutas, consejeros o amigos de personas con problemas en el matrimonio, siempre hemos de buscar la reconciliación y la restauración. Este es el sentir profundo en el corazón de Dios. El divorcio siempre es un mal, implica un fracaso y la ruptura una relación que tendría que haber durado hasta su fin natural.

Actualmente, los índices de divorcio son los más altos del conjunto total de la historia de Occidente. El perfil de personas divorciadas es el siguiente:

• Habitantes de medios urbanos, más que de medios rurales.

• Más frecuente en clase media, que en clase alta o baja.

• Matrimonios con cierto grado de heterogeneidad en educación, clase social, cultura, religión, edad, etc.

- Más frecuente entre protestantes que en cualquier otra denominación religiosa.

El caso: Es un matrimonio joven –apenas con cinco años de matrimonio–:
"Estamos al límite...
Nos vemos incapaces de seguir adelante...
Nos agredimos de forma verbal (ironía, sarcasmo, etc.) y también de forma física.
Él tiene más deseo sexual que yo. De hecho, sólo se acerca con afecto cuando busca sexo" –argumenta ella–.
"Es cierto que ella es fría sexualmente...
Pero creo que el problema nuestro es de comunicación, necesitamos hablar más y mejor... Queremos pautas que nos ayuden a comunicarnos mejor" -aduce él-.

Este es un matrimonio que ha consultado diversos terapeutas, pero que sigue viviendo con mucha tensión (de hecho, la frase *"al límite"* resulta muy reveladora).

Ambos esposos tienen un diagnóstico diferente de la situación matrimonial. Ella es más pesimista y está *"más quemada"*, mientras que él actúa más como *"el hombre tranquilo"*, quien, que a pesar del humo existente, no se acaba de creer que hay un incendio en su casa.

Al cabo de poco tiempo, ella iniciará el proceso de divorcio.

Factores que contribuyen al aumento de divorcios

Siempre matizo, al igual que en el tema de la infidelidad, que más que a *"divorcio"*, deberíamos referirnos a *"divorcios"*, porque, en realidad, sistematizar el presente tema resulta muy arriesgado.

Las causas que llevan a un divorcio son múltiples: espirituales, sociales, emocionales, conscientes e incluso inconscientes. Intentaré presentar una lista de las causas más generales:

- **Mayor tolerancia social del divorcio**

  Esta tolerancia viene dada, en primer lugar, por la existencia de un marco legal que, en años recientes, ha agilizado los trámites, y, en segundo lugar, por una normalización de la conducta; normalización no sólo estadística, sino también psicológica al dejar de estigmatizarse a las personas que pasan por el divorcio. Además, podríamos añadir el hecho de que, actualmente, el divorcio se presenta en tonos bastante positivos.

- **Liberalización de doctrinas religiosas en cuanto al divorcio**

  Es un hecho constatable que la mayoría de confesiones cristianas han flexibilizado sus posturas doctrinales y pastorales, ganando terreno la permisividad y la tolerancia en cuanto al tema del divorcio. Paralelamente, también se ha venido dando una pérdida de autoridad de la religión en la vida social y reguladora del matrimonio. El divorcio, como tantos otros temas, forma parte de la esfera de lo personal, y por lo tanto se suele disociar del resto de aspectos que forman parte de la creencia.

- **El énfasis exagerado en el "individualismo"**

  Nada ni nadie pueden oponerse y, aún menos, frenar el derecho de las personas a ser felices y seguir adelante con sus planes. Pensar de forma colectiva o de forma familiar ha cedido frente al pensar en términos individuales. Hace sólo unas décadas, los hijos, los padres o la comunidad podían ser un freno, o al menos un contrapeso, a los objetivos individuales. Actualmente, la persona se realiza o se autoafirma frente a la realización en paralelo de los demás, y una relación no puede constituir un freno a ese derecho. Tal como ya he hecho constar en algún otro capítulo del libro, la persecución del mito del "matrimonio feliz" también contribuye a la búsqueda de otras relaciones. Se huye de la infelicidad, de la rutina, y se busca en esa otra pareja una nueva posibilidad.

- **Mayor educación y posición social de la mujer**

  El mundo social de la mujer se ha ampliado y su poder adquisitivo ha mejorado. En la actualidad, se rompe, por primera vez, su dependencia económica del hombre, y se aguantan menos las situaciones abusivas, y ya no sólo abusivas, sino que la mujer también persigue los mismos objetivos de felicidad, afirmación individual y autorrealización.

- **Ausencia de una cultura más profunda del matrimonio**

  Vivimos en una sociedad que enfatiza el aspecto romántico del amor o los elementos estéticos de la boda, pero no prepara a las personas para la dinámica propia de la vida en pareja. Así, cuando aparece el bloqueo o el estancamiento en el proceso de crecimiento como matrimonio, por rutina, falta de objetivos, carencia de intimidad, o situaciones que se viven negativamente (nido vacío o fallecimiento de los padres, por ejemplo), viene a descubrirse que, en la mayoría de los casos, se carece de pautas resolutivas.

Sentimientos y vivencias durante el divorcio

El divorcio viene a significar una pérdida de gran magnitud en nuestra vida. A lo largo de nuestra existencia, experimentamos multitud de pérdidas (infancia, juventud, amigos, lugares queridos, padres, salud, etc.) y nuestra salud emocional evolucionará en función de cómo elaboremos las pérdidas que ocurren en nuestras vidas y cómo las vayamos integrando.

A través de las pérdidas, podemos, incluso, llegar a crecer, transformando nuestras heridas más profundas en fuentes de sanidad para nosotros y para otras personas. Asumimos con realismo que la vida no es fácil, simple, ni previsible, sino compleja y dura, y que, en muchos momentos, sólo la gracia de Dios nos sostiene para seguir caminando.

Para elaborar de forma creativa nuestras pérdidas, debemos permitirnos "tiempo y espacio". Dar lugar a toda una serie de reacciones, que, aunque molestas y difíciles, nos permiten profundizar en nosotros mismos. Hay que tocar fondo, pero también echar raíces para poder volver a dar fruto y seguir adelante.

Es necesario aclarar que la reacción frente al divorcio no será la misma para los dos esposos. Dependerá de si el divorcio es querido por ambos, si uno de los dos ya tiene otra relación o si, incluso sin tener otra relación, ya tiene planeada la ruptura desde hace tiempo.

Quien inicia el proceso de divorcio –y, sobre todo, si tiene ya otra persona en mente- no experimentará con todo rigor el proceso de pérdida, sino todo lo contrario; vivirá con la ilusión propia de una nueva relación y, en este sentido, ambos esposos se moverán en dinámicas emocionales muy distintas.

Las reacciones descritas a continuación son, sobre todo, para aquellas personas que viven el final de su matrimonio y se enfrentan a un tiempo de incertidumbre y desastre emocional.

a. Reacciones físicas
Todo impacto emocional tiene un registro físico, ya que nuestro ser reacciona de forma conjunta al dolor y a la pérdida. No podemos disociar nuestro cuerpo de nuestros sentimientos.

Al igual que en el caso de la pérdida por viudez, habrá toda de una serie de carencias temporales orgánicas, cuya intensidad y continuidad en el tiempo tendremos que vigilar, para no cruzar la raya entre el trastorno temporal y la patología grave enquistada.

Algunas de las reacciones físicas que pueden producirse como consecuencia del divorcio son:

* Pérdida de apetito, que se traducirá en disminución del peso.

* Trastorno del sueño, que provocará, con el tiempo, problemas de concentración y sensación anormal de cansancio.

* Afectación del sistema inmunológico (debido a una constante tensión), lo que potenciará la aparición de enfermedades infecciosas.

b. Reacciones emocionales

Durante un buen tiempo, existirá la sensación de que los sentimientos gobiernan nuestra vida. Como ya he comentado, será preciso prestarles atención, pero sin, por ello, quedarse estancados en ese punto.

Las reacciones emocionales más frecuentes serán:

* **Una constante tristeza:** La nostalgia y la melancolía son reacciones frecuentes y muy extendidas. Se tiene la sensación de que la pérdida experimentada es irreversible. La tristeza encontrará su válvula de escape en el llanto, sobre todo en las primeras etapas.

  Todo ello es algo normal en los procesos de duelo, habida cuenta que se ha perdido el control de la existencia tal como se había conocido hasta entonces. Como también explico en el caso de la pérdida por viudez, la tristeza sólo es patológica, o se convierte en depresión, si llega a impedir el ritmo normal de la vida. Como grado sumo de tristeza estaría la desesperación, que es cuando ya no se ve solución alguna.

* **Crisis de autoestima:** Viene producida, sobre todo, como consecuencia de verse rechazado, abandonado, o traicionado. Es muy fácil, al tiempo que arriesgado, caer en comparaciones con la persona competidora. Resulta por ello imprescindible seguir manteniendo el cuidado de uno mismo, al tiempo que habrá que llevar a cabo una autovaloración con independencia del posible aprecio que nuestra pareja nos hubiera tenido.

  Si hay hijos, también se produce una pérdida de autoestima en las funciones paternas/maternas, al verlos con menos frecuencia o, según caso, no poder estar con ellos.

* **Sentimiento de fracaso frente a la ruptura:** Se es dolorosamente consciente de no haber podido, o sabido, coronar con éxito, lo que con tanta ilusión se inició. Se siente fracaso en cuanto al concepto de matrimonio o de familia que habíamos tratado de llevar a la

práctica. Si se es creyente, se sentirá también un fracaso respecto al testimonio o a la aparente ineficacia de los valores cristianos en que se había basado el matrimonio. Asimismo, aparecerán sentimientos de fracaso por no haber sabido amar mejor o por no haber sido ser merecedores de más amor.

- **Soledad:** Se ha pasado del "nosotros" al "yo". La soledad proviene del no poder compartir, ni hacer planes conjuntos, ni poder contar ya con la otra persona. Se ha producido la fractura de la intimidad. Sobra tiempo y los recuerdos nostálgicos de los años transcurridos hacen su aparición.

- **Miedo:** Será frecuente sentirlo al tener que enfrentarse al futuro y tomar decisiones. Sucediendo entonces con frecuencia que la persona se ve incapaz de tomar decisión alguna.

c. Reacciones sociales

- **Riesgo de aislamiento social:** Por una parte, la persona tiende a encerrarse (a veces, por exceso de trabajo) y, por otra, los amigos y familiares de la pareja no saben cómo actuar, ya que es difícil seguir siendo amigo de ambos.

  Acaba aflorando un sentimiento de *"no-pertenencia"* en una sociedad, o incluso en la iglesia, donde todo está pensado para vivir en pareja.

- **Hipersensibilidad social:** Esta sensación puede ser debida al sentimiento de abandono por parte de los demás, o a la percepción de que no nos cuidan como necesitaríamos. Incluso se puede llegar a cierto resentimiento o envidia, ya que nuestra vida se ha detenido o interrumpido, mientras que la de los demás continúa.

- **Elaboración de una nueva identidad:** Somos *"divorciados",* lo cual significa ni *"casados",* ni *"solteros".* Al principio, hay cierta vergüenza y, en según qué ámbitos, cierta *"estigmatización social",* aunque cada vez menos. La elaboración correcta implica una transformación en nuestra identidad y asumir sin complejos nuestra nueva identidad social.

- **Repercusión socioeconómica:** Hay que trabajar más duro (y esto se traduce en más horas de dedicación) y, aún así, se tendrá menor poder adquisitivo. Todo ello, y por estar inmersos en una sociedad de consumo, implica una cierta marginación o distanciamiento social. Se tendrá que limitar el gasto en general y, sobre todo, en ocio y las salidas sociales.

d. Reacciones familiares

Se trata de un tema esencial, que siempre preocupa a los padres responsables, y sobre el que siempre se piden pautas para reducir al mínimo el impacto emocional que el divorcio pueda tener en la vida de sus hijos.

Sin embargo, no me voy a extender mucho al respecto, ya que trasciende el propósito del presente libro, y es un tema que merece ser tratado en profundidad en un próximo volumen.

Se puede afirmar, y de forma categórica, que el divorcio de los padres será una de las crisis más dolorosas que los niños puedan experimentar, tal como confirman de hecho las estadísticas. De ahí que el divorcio vaya a dejar secuelas en la salud emocional de los niños. Ellos van a ser *"las víctimas inocentes"* de la decisión de sus padres.

Ojalá que los padres, después de un primer período de choque, puedan reflexionar y pasen a actuar de la mejor manera posible de cara a los hijos procurando hacer lo mejor para ellos y lo más conveniente para todas las personas afectadas. Hay un principio que es obvio: *"Cuanto mayor sea la confusión emocional implicada en el divorcio, mayor riesgo habrá de dañar al niño".*

Incluyo a continuación algunas pautas básicas, que de observarse, pueden reducir positivamente el daño emocional:

- **Comunicar a los hijos la separación de forma conjunta.** Se debe dejar claro que la ruptura del matrimonio no implica desatender la paternidad, y también hay que ser sinceros y honestos con el niño, y siempre, claro está, en función de su edad. Conviene, además, dar la noticia con cierta antelación, con el fin de que el niño pueda prepararse emocionalmente ante la crisis, ya que cuenta con menos recursos que los adultos para resolver situaciones de auténtica crisis.

- **Intentar que el niño sufra los mínimos cambios posibles.** Arreglar la situación económica, residencial y escolar de tal forma, que el niño pueda continuar con unas pautas diarias de conducta parecidas a las que tenía antes de producirse el divorcio.

- **Nunca situar al niño en medio.** Esto va a depender de si, de forma previa al divorcio, los hijos ya estaban viviendo una situación de 'triángulo' emocional, esto es, alianza afectiva de dos contra uno, dentro de la propia unidad familiar, fomentada o permitida por los adultos.

Los niños pueden sentirse muy confundidos, y no suele resultarles nada fácil expresar lo que sientan y piensen, ya que pueden que teman perder a alguno de sus padres. Sienten que han de proteger al progenitor que va a marcharse, o que ya está ausente, o incluso a ellos mismos, de posibles declaraciones que vayan a resultar negativas. Así, puede que guarden absoluto silencio, que se aíslen emocionalmente, y que desarrollen una lealtad parcial.

Nunca se debe atacar verbalmente al cónyuge delante del niño, ni aprovechar las visitas que haga para sonsacar información. Aun cuando, de forma sistemática, falle en sus visitas, o en sus obligaciones como progenitor, siempre será mejor que el niño lo vaya asumiendo por sí mismo de forma progresiva. Ya habrá tiempo de intervenir y corregir lo que sea necesario.

- **Disponibilidad y responsabilidad del progenitor ausente.** Suele producirse un desequilibrio en la educación del niño. Mientras el progenitor presente, ya sea el padre o la madre, se siente agobiado por los problemas cotidianos (limpieza, escolaridad, comida, salud, etc.), y por lo tanto riñe y disciplina más al niño, el progenitor ausente suele tener más energía y tiempo disponible, con lo cual la relación es más relajada.

Resulta muy sano que el progenitor ausente esté siempre disponible (localizable) y que sea responsable con la pensión, la educación y la salud juntamente con el otro progenitor.

- **Pactos necesarios entre ambos padres.** Ha de existir siempre la libertad de usar el teléfono (con moderación) y poder hablar con el progenitor ausente. También se debe cumplir estrictamente con el plan de visitas acordado y ser puntuales, aún cuando el niño muestre desinterés o negativismo. Esto ayudará al niño a asumir *"una rutina"* en cuanto a la relación con los padres divorciados.

- **Precaución en cuanto a la creación de nuevas parejas.** Los niños pequeños viven como una amenaza el hecho de que sus padres formen nuevas parejas, ya que sienten temor de que se olviden de ellos y de sus necesidades, sean éstas afectivas o económicas; pero, por otra parte, suele haber toda una serie de expectativas positivas hacia la nueva persona. Por todo ello, los padres deben ser sabios para conjugar sus propias necesidades emocionales con las de sus hijos y no crear expectativas que luego no se hagan realidad.

Es imprescindible que, después del divorcio, no sólo se pase un tiempo de aislamiento, sino también de dedicación exclusiva en atender las necesidades de los hijos.

Las principales reacciones emocionales de los hijos frente al divorcio son:

- **Inseguridad.** Es la reacción básica ante ruptura de su mundo habitual, de todo aquello que le aporta seguridad, del entorno familiar que debería haberse mantenido para siempre y que ahora se encuentra roto.

La familia era su mayor seguridad y protección frente a un mundo exterior cambiante e imprevisible. Esto produce en el niño importantes interrogantes: ¿en qué se puede confiar?, ¿qué es lo que permanece?, ¿qué pasará a partir de ahora?

De forma totalmente injusta, su autoestima personal se desmorona, ya que él mismo no se ve lo suficientemente importante como para que sus padres continúen la relación y eso le lleva a preguntarse: ¿realmente me aman como decían?

- **Fantasía acerca de la reconciliación de los padres.** Los niños, casi de forma invariable, se agarran a la fantasía de que sus padres volverán a juntarse, sobre todo si no se ha formalizado todavía el divorcio, o si los padres no son coherentes en su separación y no mantienen los límites apropiados según la nueva situación.

Es importante, como adultos, no reforzar tal fantasía, ya que, mientras dure, se impide el proceso de elaboración de duelo por parte del niño para que pueda ubicarse en la realidad.

- **Duelo por la secuencia de pérdidas.** El niño tendrá que vivenciar y asumir que la familia ya nunca volverá a ser igual. Uno de los progenitores va a dejar el hogar y los contactos no volverán a ser diarios o espontáneos. También se pierde el contacto con primos, tíos y abuelos. Más trágico aún resulta cuando la relación con el padre ausente se pierde casi por completo o de forma significativa.

- **Cambios de comportamiento en el niño.** Como consecuencia del impacto producido por la crisis y en función de la edad que tenga el niño, éste evidenciará toda una serie de reacciones en su conducta. En general, la relación con los hijos se volverá más conflictiva y requerirá de mucha más energía. Estos cambios de comportamiento pueden ser diversos, pero, básicamente, nos podemos encontrar con:

- **Negación y silencio.** El niño se encierra en sí mismo, se vuelve más hermético.

- **Regresión.** Aparecen conductas inapropiadas para su edad, pero que son lógicas en cuanto que buscan llamar la atención.

- **Hostilidad activa/pasiva.** Puede tratarse de conductas abiertamente hostiles en casa o en la escuela, o bien de actitudes negativas o 'pasotismo'.

- **Conductas impulsivas.** Sobre todo, pueden darse en la adolescencia y estar relacionadas con el consumo de sustancias tóxicas o con la transgresión de normas sociales.

- **Fracaso escolar.** Puede darse por falta de concentración o de motivación.

- **Crisis de fe**, que se puede traducir en desvinculación eclesial.

e. Reacciones espirituales

- Siempre se va a dar una *"crisis de fe"*, ya que nuestro entendimiento de Dios, de ciertas partes de las Escrituras, y nuestra teología práctica van a ser modificadas.

- Tomar conciencia de nuestra finitud, de nuestra fragilidad y de que ser creyente no significa tener una vida fácil o sin luchas. Ahora bien, la decepción, la traición o la injusticia van a ser integradas en nuestra experiencia de fe.

- Pérdida de la ilusión del *"matrimonio perfecto"*. Nos casamos con personas creyentes, hemos intentado seguir en los caminos de Dios y pensábamos que, quizás, por ser creyentes, estábamos exentos de tales crisis; ideas que van a caer por tierra.

- El *"papel de Dios"* en nuestra crisis será muchas veces replanteado, llegándonos a preguntar: ¿por qué Dios no ha intervenido de forma más directa?, ¿por qué no ha respondido a nuestras oraciones?

- A todo ello, quizás hay que añadir la *"incomodidad"* de formar parte de iglesias, en las que, por rigidez o por ignorancia, no existirá ni la sensibilidad ni la solidaridad de recibir afecto, ayuda práctica o empatía en momentos tan trascendentales. Me refiero a iglesias con abundancia de doctrina, pero con escasez de cuidado pastoral.

Sobrevivir al divorcio

¿Se puede sobrevivir a un terremoto? La respuesta está en función de la intensidad del seísmo y de cuán sólidos sean los cimientos del edificio. Yo añadiría que también depende de los recursos que estén a nuestro alcance en el momento de la crisis.

De igual forma que en la elaboración de toda pérdida debe atravesarse un proceso de duelo, durante el divorcio resulta imprescindible la elaboración de unas fases o etapas en la reconstrucción de nuestra vida. De hecho, de esta elaboración depende que la persona pueda seguir adelante con sus objetivos en la vida y no quede bloqueada en su crecimiento.

No siempre será lo mejor volverse a casar, y aún menos hacerlo de una forma rápida y no meditada. Nuestra sociedad se caracteriza por "la sustitución rápida de las pérdidas y por huir a cualquier precio de la soledad", conductas que no servirán para resolver nuestros problemas.

En esencia, el divorcio consta de cuatro etapas básicas:

a. Etapa de decaimiento
Con frecuencia, cuando un matrimonio llega a la ruptura, suele estar precedido por un período de mucha tensión (infidelidad de algún esposo, alcoholismo, maltrato en sus múltiples expresiones, frustración sexual, deterioro de la comunicación, separación física, etc.).

En el mejor de los casos, la relación se ha ido apagando y la pareja ha entrado en un *"clima de desamor"* y desinterés que llevan gradualmente a la muerte del matrimonio.

Suelo explicar esta fase con una metáfora hospitalaria. Es como si el matrimonio estuviera hace tiempo en la U.C.I., con muchas posibilidades de no poder salir vivo de allí, dado su precario estado de salud.

Los sentimientos que acompañan a esta etapa son: dolor (muy intenso), frustración, rabia, ira, etc.

b. Etapa de negociación

Se trata de *"realizar un entierro decente"* del matrimonio que ha fallecido. Es decir, intentar reducir al mínimo, y por todos los medios posibles, el impacto emocional, el ser justos en el reparto de las responsabilidades con los hijos, así como de los bienes o deudas acumuladas.

Algunas parejas se resisten a dar este paso legal. Creo que es un error, sobre todo cuando se ha comprobado que no hay ya ninguna esperanza para la continuidad del matrimonio, pues se entra en un terreno de desprotección tanto para la pareja como para los hijos.

Los sentimientos de dolor, ira, rabia y frustración siguen presentes en todo el proceso de divorcio, si bien con diferente grado de intensidad. El contrario *"es la persona en quien más he invertido emocionalmente en esta vida y ahora me siento arruinado"*, *"se me ha destrozado la vida"*.

La mayoría de las parejas entran en esta fase con una dinámica de regateo, donde, por desgracia, muchas veces surgen actitudes ruines, egoístas y poco solidarias. A veces, los sentimientos de culpa son rentabilizados y se llegan a firmar convenios a todas luces injustos.

Siempre es importante dejarse aconsejar por personas de talante justo, pacificador y realista.

El clima es infernal cuando se pasa de un divorcio amistoso a uno contencioso, e incluso aún peor cuando se cita a los hijos a prestar declaración. Es como si un tornado se lo llevara todo a su paso.

La diferencia entre un *"divorcio pacífico"* y *"un divorcio traumático"* dependerá a menudo de la estabilidad emocional de las personas en litigio, del motivo de la ruptura y del consejo profesional que busquen para solventar la situación.

c. Etapa de soledad o aislamiento

Hasta que se llega a esta etapa, la pareja ha ido invirtiendo toda su energía en dejar atrás un matrimonio fracasado, y en lograr un acuerdo de separación que ahora, finalmente, ya ha sido firmado. Sucede que suele darse entonces como un desplome, debido al desgaste de energías empleado en las dos primeras etapas para poder sobrevivir.

En esta tercera etapa, la tarea consiste en establecer con claridad y firmeza los límites oportunos entre la pareja.

El divorcio implica una separación a varios niveles: físico, económico, legal, emocional, sexual y existencial. De no observarse estos límites, tanto la pareja como los hijos pueden experimentar una gran desorientación. Los límites sirven para protegernos, pero también para que podamos elaborar nuestra nueva identidad como personas divorciadas.

El salir juntos de vez en cuando, entrar en la casa que se ha dejado, conservar todavía objetos pendientes de retirar, no cumplir los acuerdos horarios y económicos, u otras conductas parecidas, significará que no hay un buen mantenimiento de límites y, por lo tanto, el proceso de duelo se estará obstruyendo.

Es una etapa de *"tocar fondo"*, de experimentar como nunca la soledad, de aprender a vivir sin la otra persona y, sobre todo, de poder divorciarse emocionalmente.

Aunque suene paradójico, invito a las personas en esta etapa a sobre todo perdonar, y a saber "ver" que, a pesar de cómo fue el final del matrimonio, también hubo buenas experiencias y buenos momentos.

d. Etapa de planteamiento del futuro

Es una etapa donde se encuentra el significado de quién somos, más allá de la relación de pareja; donde aprendemos a manejar por nosotros mismos la agenda para vivir.

Es normal que nos hagamos toda una serie de preguntas: ¿Quién soy ahora?: *"un divorciado/a"*. *¿Con quién me relaciono o cómo lo hago? ¿Cuándo puedo reiniciar relaciones de amistad? ¿Tengo que tomar precauciones? ¿Debo poner límites?*

Suele ser normal, según la experiencia que hayamos tenido al final del matrimonio, que desconfiemos del "género humano" y que nos volvamos exageradamente susceptibles.

Una vez hayamos curado nuestras heridas y organizado nuestra vida familiar, es sano no quedar aislados, *"construir puentes, en vez de muros, a nuestro alrededor".*

La amistad es siempre una bendición. La soledad continuada es en cambio fuente de muchas enfermedades emocionales. Sin embargo, hay que tener en cuenta lo frágiles que puede que nos hayamos vuelto tras la pérdida sufrida, por lo que fácilmente podemos llegar a confundir amistad con afecto.

Por otra parte, pasado un tiempo del divorcio, suele darse una "presión externa" por parte de nuestros amigos, a quienes les gustaría ver cómo rehacemos nuestra vida de pareja.

Algunas personas, de forma muy digna, preferirán no reconstruir su vida emocionalmente. Vivir sin vínculos familiares tendrá como beneficio gozar de mayor libertad y autonomía, tanto en la planificación como en el estilo de vida.

Otras personas, también muy dignamente, desearán volver a formar pareja de manera estable. La posibilidad de contención emocional o sexual marcará con realismo el plantearnos unas segundas nupcias.

Debe señalarse, que tras el divorcio, se debe tener un *"noviazgo realista"*, en el que salgan todos los temas pertinentes: relaciones con la ex - pareja, relaciones con los hijos (de uno y de otro), temas económicos y legales, y, sobre todo, debemos hacer un trabajo honesto con nosotros mismos, que nos permita ver cuál ha sido nuestra parte en la trayectoria del matrimonio y del divorcio.

La posibilidad de volverse a casar y formar una *"familia reconstruida"* suena atractiva, pero -sin que nadie deba desmoralizarse por esto – lo cierto es que suele ser algo muy complejo. Como analizaremos en un próximo capítulo, riesgo y oportunidad serían los conceptos que definirían esta posible opción.

El nuevo matrimonio debe aprender a fortalecerse, porque no parten de cero. A menudo los hijos viven una "luna de miel" al principio, pero luego se convierte en una "luna de hiel", provocando fácilmente la tensión en el nuevo matrimonio.

Analizado todo el proceso del divorcio, haya entonces quien quizás se pregunte: ¿Cuál es la mejor vacuna para el divorcio? Evidentemente, sólo hay una: vivir un buen matrimonio.

Sin querer pecar de irreverente, he de decir que un buen matrimonio no *"cae del cielo"*, sino que se estructura, se fortalece y madura con una actitud responsable.

Hemos analizado en otros capítulos que hay *"matrimonios de riesgo"*, *"etapas de riesgo"*, *"circunstancias que pondrán a prueba la relación"*; pero también hemos apuntado que siempre hay recursos disponibles para hacer frente a esos riesgos. Más vale prevenir que curar –se advierte en medicina-, y el principio es válido para el matrimonio; por lo que, más vale pedir consejo, en cuanto percibamos síntomas inquietantes, que asistir con pasividad al colapso de nuestro matrimonio.

Con todo, puede darse el caso de que uno de los cónyuges haya hecho todo lo posible para llevar adelante una buena relación de pareja y que el otro muestre una conducta inmadura e insolidaria. Ante situaciones así, mi consejo es siempre que *"no podemos responsabilizarnos de la irresponsabilidad del otro"*, y sería injusto cargar con una culpa inapropiada.

En los próximos años, si es que aspiramos a concebir de otra manera a la *"cultura del divorcio"*, tan en boga hoy día, tendremos que trabajar mucho más en varias áreas, que hasta ahora suelen ser ignoradas o incluso menospreciadas:

- Consejería y orientación prematrimonial.

- Seminarios de enriquecimiento matrimonial a lo largo de los diferentes ciclos del matrimonio, que constituirán lugares, en los que trabajar temas de forma educativa y preventiva.

- Acudir con mayor frecuencia y prontitud a procesos de terapia matrimonial.

CAPÍTULO 13

Amar desde la distancia: la viudez

"El Señor asolará la casa de los soberbios;
pero afirmará la heredad de la viuda".

Proverbios 15:25

"Sin ti estoy perdido.
No tengo alma,
soy un vagabundo sin hogar,
un pájaro solitario que vuela hacia ninguna parte.
Soy todas estas cosas y no soy nada.
Esto, amada mía, es mi vida sin ti". [1]

Incluyo este capítulo dentro del libro, porque la viudez no es una experiencia inusual. A lo largo de esta vida, hay muchas posibilidades de perder a la pareja.

Se suele decir, con respecto a la viudez, que es aquella ruptura que se produce de forma *"natural"* en la pareja; aunque esta definición no deja de expresar una gran paradoja, ya que la muerte en sí cuesta aceptarla como algo natural, ya sea producida por enfermedad, por accidente o por suicidio.

En todo caso, no se trata de una ruptura intencionada. El hecho de que sea "natural" no quiere decir que no sea traumática o que siempre se trate de una crisis previsible. Excepto en la última etapa del ciclo matrimonial, donde el desgaste físico preludia la muerte como una posibilidad cada vez más real, en general la pareja nunca se imagina la experiencia de vivir con la ausencia del otro.

La pérdida de la persona amada provoca en la parte superviviente del matrimonio una crisis de identidad seria. Es una crisis que arrastra al cónyuge vivo, como si de un remolino se tratara, hacia el caos, la confusión y la desesperación. Durante un largo tiempo, persiste un sentido de vacío, un estado de desorientación ante la vida y una experiencia de amarga de soledad.

---

1 Sparks, N. *"El Mensaje"*. Publicaciones y Ediciones Salamandra. Barcelona, 2002, pág. 64.

De forma insuperable, la pluma de C. S. Lewis nos ha legado esta descripción de la viudez al reflexionar sobre la pérdida de su propia esposa:

"Y de pronto, al uno o al otro les llega la muerte. Y lo vemos como un tajo seco al amor. Como la interrupción en el curso de una danza, como una flor con la cabeza desventuradamente tronchada, algo que se truncó y perdió, por tanto, su debida forma". [2]

Durante estos años, a menudo he escuchado en terapia a divorciados que hubieran preferido experimentar la viudez y viceversa. Ambas son crisis parecidas, por la intensidad emocional que comportan, pero conllevan procesos de duelo bien diferenciados.

Para empezar, el divorcio, tal como hemos venido apuntando, siempre llega tras un preludio de conflicto, desgaste, traición o desamor. La situación vivida por la pareja conlleva inevitablemente sentimientos de frustración, fracaso y rabia. Todo ello hace que, en general, durante el proceso de duelo los cónyuges se vean el uno al otro con sentimientos bastante negativos, al menos durante los primeros años.

En términos de supervivencia emocional, la posibilidad de rehacer la vida de pareja se vive como una necesidad, y ello debido en buena parte a las heridas sufridas recibidas en la propia autoestima.

En cambio, en la viudez, el preludio muchas veces está caracterizado por la enfermedad, donde un cónyuge ha cuidado del otro con esmero y dedicación, o en el caso de una muerte súbita (enfermedad repentina o accidente), por el bienestar y la armonía que reinaban en el hogar.

La persona que ha fallecido es fácilmente idealizada. La memoria es selectiva con ella, se tiende a recordar de forma sublime lo positivo. Es como si se tratara de concederle, por medio de esta idealización, una compensación ante la forma injusta o prematura con que ha partido de esta vida.

---

2 (13,2) Lewis, C.S".*Una Pena en Observación*". Editorial Anagrama, 1994, pág. 71.

La viudez –al igual que en el caso del divorcio- será una crisis con repercusiones diferentes en función de la etapa que se esté atravesando en el ciclo vital del matrimonio.

Al final del ciclo matrimonial, incluso será una crisis esperada, a veces precedida de una larga y cruel enfermedad degenerativa, que irá poniendo sobre aviso que la persona se está yendo.

En otras ocasiones, la pérdida del cónyuge será totalmente impredecible y su muerte hará que el ciclo matrimonial se interrumpa y deje como legado una familia mono-parental.

En las primeras etapas del matrimonio, se trata de una experiencia devastadora, con capacidad para arrastrar y desestabilizar para siempre todo el sistema familiar. La familia gobernada y asistida por padre y madre, pasa a ser una familia monoparental, en la que el padre o madre superviviente necesita un derroche enorme de energía a fin de estabilizarse a él mismo y al resto de la familia.

Vivencias y sentimientos más frecuentes durante la viudez

La viudez llevará a experimentar, a la persona que queda con vida, toda una amplia gama de sentimientos y vivencias, terribles y abrumadores. Sin duda, estos sentimientos irán variando en intensidad y frecuencia con el paso del tiempo. En la medida que la persona vaya elaborando el proceso de duelo, se va llegando a una integración sana de la pérdida dentro de la experiencia compleja de la vida.

Las vivencias descritas a continuación no siempre aparecerán necesariamente en su totalidad. Tampoco la intensidad será experimentada de la misma forma. En base a la naturaleza del vínculo existente en el matrimonio, a la personalidad individual o a las circunstancias en las que se dé la viudez, unas prevalecerán más que otras. Las personas suelen poder resolver la muerte, de la misma forma que saben solventar otros asuntos en sus vidas.

a. Sentimiento de vacío

De forma general, éste es el sentimiento que va a predominar. Precisamente, el término viuda/o deriva del latín y significa vacío. Se trata de un gran vacío que todo lo invade y que deriva de cómo la persona se percibe a sí misma (la sensación que muchas veces se tiene es como el de haber sido aspirado y vaciado por dentro).

También se vive un vacío existencial, que surge como consecuencia de examinar la vida y ver que ésta carece de sentido; es como si el camino transitado durante años, hubiese sido súbitamente cortado o no llevara ya a ningún sitio.

Si la amistad era descrita por Aristóteles como *"un alma en dos cuerpos"*, la persona viuda, debido a la ausencia, se ve a sí misma *"desgarrada por dentro"*, desgarro que experimenta al observar su alma rota.

b. Sentimiento de soledad

"Sentía una valla alrededor mío que nadie podía traspasar.
Nadie podía acceder hasta mí, debido a la valla".

Muy asociado al sentimiento de vacío, coexistirá una soledad que todo lo llena (el día y la noche, el trabajo y el ocio). Prevalece un sentimiento de haber sido abandonado por el otro. La comunidad que los dos habían construido ha dejado de existir para siempre. El diálogo es sustituido por el soliloquio, ese hablar consigo mismo, caracterizado por ser tortuoso y estéril. A lo sumo, se invoca a la persona ausente sólo para evidenciar que ya no responderá nunca más a nuestra llamada.

Se ha roto lo esencial en la pareja: la intimidad. Todos aquellos componentes que formaban dicha intimidad se van a resentir como consecuencia de ello:

- **La comunicación.** Ya no habrá más aquel conversar cotidiano e informal sobre todo y sobre nada. También el hablar en profundidad sobre la vida y la existencia, o incluso aquel idioma idiosincrásico de complicidad que le otorgaba a la pareja su propia identidad.

- **Los sentimientos.** Aquella entrañable experiencia de sentirse amado e importante para alguien. La muerte arrebata la posibilidad de expresar tales sentimientos por medio de caricias, de ternura o de detalles.

- **La sexualidad.** Sólo la nostalgia y el recuerdo punzante nos traen a la mente el deleite de entregarse a la persona amada, como, asimismo, el placer indescriptible de recibir su entrega.

"La cama está enormemente vacía...
Estará vacía el resto de mi vida sin la persona que amaba".

Pocos autores analizan el tema de la sexualidad, después de la muerte de la pareja, pero cuando la pérdida de la pareja se da en los primeros ciclos del matrimonio, el hecho es que la sexualidad no desaparece, sino que sigue toda una evolución paralela al proceso del duelo.

Se suceden varias etapas que van desde la pérdida de la líbido al principio, el autoerotismo, la sexualidad como fantasía para contactar con la persona ausente, hasta la reaparición de la sexualidad madura, como una forma de nutrir y dar amor a una nueva persona.[3]

c. Sentimiento de tristeza

El ánimo está decaído. El humor está apagado. La energía sólo llega para ir sobreviviendo a las luchas diarias. La realidad se tiñe de gris y los colores han desaparecido. Cuesta imaginar que algún día se podrá volver a ser feliz (incluso, cuando alguien lo sugiere, es visto al principio como una infidelidad hacia la persona que se ha ido).

Con todo, existe una línea que marca el límite entre la tristeza y la depresión, que debemos intentar no cruzar. La tristeza es un sentimiento connatural a la viudez. Quiero subrayar esto porque, a menudo, percibo que, en nuestra sociedad, no se da espacio ni tiempo para la tristeza. Es como si, en todo momento y ocasión, se debiera estar feliz. Tal consideración es más propia de estoicos o de personas pseudo-espirituales, que de una actitud sana.

---

3 Meyer, C., *"Surviving Death"*. Twenty Third Publications. Mystic, CT, págs. 111-118.

Habitualmente, todos rehuimos, negamos y desplazamos el dolor, más que asumirlo; desde las personas que nos animan a desterrar rápidamente tal sentimiento de tristeza, hasta los facultativos que, con exceso de celo, prescriben con ligereza psicofármacos. De una u otra forma, la intención es la de ahuyentar ese sentimiento. En general, solemos recurrir con demasiada prontitud a la medicación. En mi experiencia profesional, he observado que un uso indebido de psicofármacos bloquea de forma insana los sentimientos y provoca que la persona viva "un duelo retrasado", por lo que, cuando se retira la medicación, reaparecen los sentimientos que quedaron pendientes de elaborar.

Al mismo tiempo, quiero señalar que disfunciones en el sueño, pérdida de peso importante, conductas autodestructivas, falta de concentración acusada e incapacidad para enfrentar las tareas laborales o domésticas son síntomas que deben ser examinados por un profesional, ya que pueden indicar que la persona esté entrando en un trastorno depresivo. En este caso, la medicación crea un alivio en el sufrimiento y debe ser tomada sin sentimientos de culpa o de debilidad.

d. Desinterés por la vida y por todo
Como consecuencia de centrarse en la pérdida, de forma reiterativa y obsesiva, la persona "se desinteresa" por las otras muchas cosas que ocurren a su alrededor. Se pierde interés por uno mismo y por el entorno. Las cosas se realizan de forma mecánica (porque hay que hacerlas) y, por supuesto, sin alegría ni entusiasmo.

Como una persona viuda me decía:
"Desde que ya no está junto a mí, nada me apasiona ni me ilusiona".

Todo supone un esfuerzo y, casi sin darse cuenta, la persona viuda entra en un proceso de encerrarse en sí misma y aislarse de la realidad.

Es interesante constatar cómo la presencia de la persona amada nos hace vivir con más intensidad lo que percibimos, y cómo su ausencia diluye esta intensidad:

"Derramaré mis sueños, si algún día no te tengo.

Lo más grande se hará lo más pequeño.

Pasearé en un cielo sin estrellas esta vez,

tratando de entender quién hizo un infierno el paraíso

No te vayas nunca, porque no podría vivir sin ti".

Rosana, "Si tú no estás aquí"

"La puesta de sol, ya no es lo mismo sin ella".

e. Sentimiento de falta de ubicación

Después de una convivencia larga, "pasar del nosotros al yo" no resulta nada fácil. La persona que sobrevive al matrimonio llega a tener serias dudas acerca de su identidad y con frecuencia se pregunta:

"¿Quién soy yo sin la otra persona?"

Dado que la muerte del cónyuge impacta en la organización del yo y del mundo, se requiere una reorganización psicológica y existencial, nada fácil ni rápida de recobrar.

Se ha perdido ese estatus de *"persona casada"* que había ayudado en mucho a configurar la propia existencia. Ahora, la vida debe organizarse por y para uno mismo, y en sus múltiples facetas: ir a los sitios en solitario, dormir en una cama vacía, cocinar para uno sólo, organizar el tiempo en función exclusiva de la propia necesidad, etc. Además, y por encima de todo, se ha perdido el gran privilegio de ser amados de forma única e incondicional, de ser excepcionales para alguien. Esta pérdida resulta muy importante, porque gran parte del sentido de la existencia, derivaba del hecho de ser amado.

Cuando la persona muere, no sólo se truncan aquellos sueños y proyectos que van a quedar sin realizar como pareja, sino que la persona ausente se lleva una parte esencial de la persona viva. Las relaciones con los hijos, con las respectivas familias de origen, y con los demás, se modifican.

Suele provocar una cierta ansiedad la cuestión de *"¿Cómo me relaciono a partir de ahora?"*

A toda esta situación, hay que añadir el hecho de que los hijos y los padres de la persona fallecida están elaborando su propio duelo. Además, a los amigos no les resultará siempre fácil compartir tiempo con la persona viuda, ya que no sabrán cómo hablar sin molestar, cómo acercarse al dolor sin herir y, sobre todo, cómo manejar y salir de la propia angustia, ya que hablar de la persona ausente significa, de alguna forma, "hacer presente la muerte". No obstante, por medio de esta reconstrucción social, con el trabajo, con la familia y con los amigos, se ayuda a la persona a reorientar de nuevo su existencia.

f. La ira o rabia
Casi siempre suele haber algún grado de ira o rabia, consecuencia de la frustración y del dolor por la pérdida.

La frustración provendrá del hecho de no haber podido envejecer juntos, no haber acabado juntos la carrera que un día se inició, no haber hecho más por la otra persona o, incluso, se experimentará frustración por seguir viviendo. Se mirará a las otras parejas con nostalgia por no poder disfrutar de esa misma relación.

Se debe poder verbalizar, trabajar y resolver esa ira de formas saludables, porque, si no, se instalará de forma disfuncional en la persona. Muchas veces, esta ira se trocará en amargura, en un cambio drástico de carácter para peor, en adicciones que permitan ahogar la angustia o incluso en pensamientos suicidas, descuidando las propias necesidades.

Aunque el deseo de no querer seguir viviendo suele ser omnipresente durante los primeros meses tras la pérdida, sólo en muy raras ocasiones acabará en suicidio. Lo que sí será frecuente es un estado de irritación interior, donde todo y todos molestan. Cuesta imaginar el futuro, ya que la vida se planteaba en compañía de esa persona y ahora parece que sin ella ya todo se acabó.

g. Cansancio
El nivel de ansiedad suele ser tan alto, que la persona invierte una gran cantidad de energía para sobrevivir y afrontar el día a día. Aparte de la lucha emocional por mantener el equilibrio, hay muchos otros frentes

abiertos en los que se debe luchar, que antes se afrontaban como pareja y que ahora debe hacerse de forma individual.

Más que cansancio, la persona suele llegar a un estado de agotamiento que se muestra de forma orgánica en una pérdida de peso o en una bajada de defensas. Mentalmente, es frecuente que el cansancio se manifieste en una incapacidad para leer –poco más que algunas líneas– o en la imposibilidad de seguir un programa televisivo.

La transformación en "familia monoparental" no resulta fácil, y lo más frecuente es que nos falte tiempo. Hay que trabajar más en casa y fuera de casa. El tiempo de ocio (aquel tiempo libre fuera de las ocupaciones laborales y familiares) suele brillar por su ausencia, aunque, paradójicamente, es sobre todo en el tiempo de ocio donde se progresa en la elaboración del duelo y donde se van resolviendo todos los conflictos de sentimientos hasta recuperar una cierta y cuerda estabilidad.

h. Culpa

"¿Y si...?". Las hipótesis son siempre el gran interrogante y, por lo general, jamás llegan a obtener una respuesta plenamente satisfactoria. Por nuestra cabeza rondará una lista de interrogantes interminables como: "y si no hubiera circulado ese día", "y si yo le hubiera cuidado más", "y si hubiéramos acudido antes al médico", "y si los médicos hubieran actuado de otra forma...".

La culpa concomitante en la viudez es parecida al "Síndrome del Holocausto": a los sentimientos de culpa por seguir viviendo que acompañaban a aquellos judíos que sobrevivieron al exterminio genocida.

La persona viuda se siente, en algún rincón de su ser, culpable de seguir viviendo, haciendo de ello un sentimiento recurrente. Así, la persona suele decirse a sí misma:
"No me merezco seguir viviendo si él/ella no vive".

También se experimenta culpa por no haber hecho más, por no haberle retenido, o por no haber podido dar incluso la propia vida por él/ella.

246

Aunque la culpa siempre suele estar presente en algún grado, y entiendo su presencia al principio del proceso de duelo, su existencia de forma continuada llega a ser fuente y síntoma de trastorno y desequilibrio.

En consecuencia, es absolutamente imprescindible verbalizarla, afrontarla, y ponerla en su correcta perspectiva, y ello antes de que resulte destructiva.

Recursos para afrontar la viudez

> "La religión pura y sin mácula delante de Dios el Padre es ésta: Visitar a los huérfanos y a las viudas en sus tribulaciones, y guardarse sin mancha del mundo".
>
> Santiago 1:27

La persona que ha quedado viuda pasa por esas etapas ya mencionadas, y la crisis llega a ser de tal magnitud que necesita ayuda, al menos durante los dos primeros años después de la pérdida. Incluso en el caso de que hubiera una enfermedad previa al fallecimiento, es oportuno que la ayuda y el contacto se establezcan desde ese momento inicial de crisis.

De hecho, estoy plenamente convencido de que la ayuda recibida durante el proceso de duelo marcará el pronóstico de su recuperación. Cuanta más ayuda reciba la persona, menor será el impacto de la pérdida y más plena su recuperación. Y entiendo por recuperación la restauración integral de la persona: de su fe, de su salud –física y emocional- y de sus funciones, tanto las profesionales como las familiares.

A veces, la ayuda será material: dinero, asesoramiento en la administración de las finanzas, búsqueda de trabajo, organización de las tareas domésticas.

Debe existir un clima de libertad y confianza para poder preguntar a la persona viuda sobre esos temas. Eso la liberará de preocupaciones básicas, hará que disminuya el nivel de ansiedad y economizará energías que a buen seguro se requerirán para otros asuntos.

Se debe contar con un apoyo emocional, proporcionado por amigos y matrimonios que compensen, en alguna medida, la ausencia de la intimidad y mitiguen el dolor inmenso de la soledad. Especialmente, la persona viuda tendrá que aprender en qué momentos se siente más vulnerable (habitualmente, son las noches, fines de semana, fiestas señaladas y vacaciones) y poder hacer uso de ese tesoro que es la amistad.

Las conversaciones profundas crearán *"un espacio terapéutico"* a través del cual se podrá verbalizar y explorar el gran dolor sufrido por la pérdida y también los temores, ansiedades y expectativas de futuro.

La iglesia primitiva interpretó de forma contundente cómo es el corazón de Dios delante de la pérdida, y asimismo recordó a los creyentes el privilegio que tienen de acompañar y asistir a las personas afectadas en medio de su duelo.

Por eso, el texto precedente habla de que la verdadera fe es aquella que brilla con más intensidad en los momentos de dolor. De hecho, fue una preocupación primordial entre los primeros cristianos dar un lugar de honor a las viudas y confeccionar listas en las que constaran las que debían ser atendidas (ver Hechos 6:1, 1 Timoteo 5).

El ministerio único y profundo que la iglesia ejerce en medio de la viudez consiste en *"hacer presente a Dios en medio del sufrimiento".*

Por supuesto, el concepto de *"visitación"* al que alude Santiago implica mucho más que llamar por teléfono, enviar un correo electrónico o, simplemente, compadecerse. *"Visitación"* significa implicarse en la situación de forma empática, respetuosa, humilde y práctica.

La iglesia que tiene *"mentalidad de culto"* suele acompañar a la persona viuda sólo hasta la ceremonia del entierro. Aun cuando esto es vital, resulta mucho más importante la *"mentalidad comunitaria"*, que entiende que el acompañamiento tendría que ser gradual e integral a lo largo de todo el proceso del duelo, hasta que la persona pueda verdaderamente afrontar la vida por sí sola.

La persona viuda a menudo tiene preguntas complejas, que sólo Dios puede contestar:

"¿Por qué?, ¿por qué a mí?, ¿por qué en este momento de la vida?"

La muerte de una persona joven casi siempre se vive con cierto sentido de injusticia, y el aparente silencio o indiferencia de Dios sólo llena el corazón de angustia y desazón.

Siempre aconsejo a la persona que se queda viuda que aprenda a convivir con las preguntas y a rehuir las respuestas simples. Sólo después de *"frecuentes oraciones a un Dios silencioso"*, un Dios cercano e íntimo, y al mismo tiempo escondido y misterioso, responde a la persona zarandeada su fe, y es entonces cuando ésta se vuelve a afirmar.

Por último, deseo añadir de forma muy breve dos pautas de comportamiento sumamente práctico que he visto que en estos años han resultado de gran beneficio:

La primera tiene que ver con el equilibrio que aporta el mantener una rutina. La baja laboral debe producirse sólo por un mínimo razonable de días o por la imposibilidad de desarrollar el trabajo con normalidad. Resulta muy saludable que la persona se reincorpore progresivamente a sus actividades, que asuma sus horarios habituales, sus hábitos de aseo y cuidado propio e incluso sus aficiones, ya que esto le va a proporcionar un sentido de continuidad y de estabilidad tras la pérdida.

La segunda tiene que ver con el mantenimiento de la dinámica familiar. Resulta muy importante que la persona que ha quedado al mando de la familia comunique una sensación de buen gobierno y seguridad. No es bueno mostrar decaimiento ni inestabilidad ante los hijos. Siempre pongo la metáfora del periscopio: la persona viuda es como el periscopio del submarino, a través del cual los hijos perciben la realidad que les corresponde asumir.

El imprescindible proceso de duelo

"El duelo forma parte integral y universal de la experiencia del amor. Es una continuación del matrimonio, de la misma manera que el matrimonio es una continuación del noviazgo o que el otoño es una continuación del invierno". [4]

El proceso de duelo durante la viudez es inevitable y además necesario desde una perspectiva terapéutica. Durante ese proceso, el organismo afectado en el terreno psicológico, moviliza todas sus defensas y capacidades sanadoras. Interrumpirlo o negarlo suele tener consecuencias muy negativas.

El dolor es ese gran maestro que nos enseña grandes lecciones y nos conduce a través del proceso de duelo hacia niveles muy profundos de madurez. El dolor del duelo probablemente sea proporcional al amor con que se ha amado. Resulta así de trágico y precioso al mismo tiempo, de manera que ahí se vuelven a encontrar amor y dolor.

He visto en terapia que el duelo es algo muy personal y, por lo tanto, diferente para cada persona. Sin embargo, las personas a las que he llevado en consejería siempre han agradecido que les haga ver que se trata de un proceso, con un inicio y un final, en el curso del cual van a darse unas etapas o fases que es necesario atravesar y solucionar.

La metáfora del túnel es en estos casos fuente de gran consuelo. El duelo es como un túnel que hay obligatoriamente que atravesar, que no se puede eludir, y que nos resulta muy oscuro al inicio; pero sin por ello perder nunca de vista que, al igual que ocurre cuando salimos del túnel, volveremos a reencontrarnos con la luz.

Lamentablemente, es triste que, en una sociedad como la nuestra, el duelo no se contemple de forma tan positiva como la que he descrito; al contrario, se insta a la negación de sentimientos profundos o la búsqueda de una rápida sustitución a la pérdida.

---

4 Lewis, C.S". *Una Pena en Observación".* Editorial Anagrama, 1994, pág. 72.

A efectos prácticos del presente texto, voy a diferenciar en el proceso de duelo cuatro etapas, aunque reconozco que la realidad suele ser más compleja.

A menudo, las personas me preguntan: "*¿Cuánto tiempo voy a estar en el túnel?*". Y yo siempre respondo: "*No menos de dos años*". Hay que pasar, como mínimo, por todos los aniversarios, y fechas señaladas, de una o dos veces. Es necesario recordar y rehacer. Hay que tocar fondo y volver a la superficie. Hay que desesperarse y hay que esperar. En un sentido metafórico, es imprescindible 'morir' y 'resucitar'.

a. Etapa de choque emocional

Si el fallecimiento viene precedido por una enfermedad o una hospitalización, el duelo empieza ya en vida de la persona, cuando nos planteamos la posibilidad de su marcha.

Cada ausencia se afronta siguiendo el modelo de pérdidas que hemos tenido con anterioridad, aunque no hayan sido de personas, en el sentido de que ya poseemos una determinada organización psíquica frente a la pérdida. La "negación" suele formar parte de esta etapa: "*No puede ser, no me lo puedo creer, no quiero aceptarlo*".

Sin embargo, la aceptación realista es el primer paso en la elaboración sana del duelo. Hemos de asumir desde el principio que la muerte crea una situación irreversible. La persona no volverá a estar físicamente con nosotros.

> "Mas ahora que ha muerto...
> ¿Podré yo hacerle volver? Yo voy a él, mas él no volverá a mí".
> (Cita de David ante la muerte de su hijo en 2 Samuel 12:23.)

"Yo retenía con los puños cerrados a mi amor.
Como polvo de oro entre mis dedos escapó".[5]

---

5 Monbourquette, J. "*Crecer*". Editorial Sal Terrae, Santander, 2001.

Suelo explicar a las personas que acuden a mi gabinete de consulta que no querer aceptar la pérdida resulta tan efímero como pretender retener el agua entre las manos.

Sentimientos de dolor, tristeza profunda, conmoción y, sobre todo, ansiedad acompañan a esta etapa.

b. Entierro

"El dolor resulta abrumador" en esta breve etapa, que se puede alargar con los molestos trámites legales y administrativos y con la distribución de las pertenencias de la persona fallecida.

Todo sucede como en una película, como si lo que se está viviendo fuera ajeno a nosotros mismos.

Es normal mostrar una gran entereza. Es como si la persona hiciera uso de la energía que tiene almacenada e incluso se muestra una gran fortaleza interior que impresiona a los demás.

La solidaridad de los amigos, las manifestaciones sinceras de dolor y el apoyo práctico nunca se olvidan en esta etapa.

c. Soledad y vacío

En esta etapa, es muy importante verbalizar, que no es otra cosa que escucharse a uno mismo. Hablar frente al espejo que nos consuela. En su defecto, se pueden escribir una especie de diario de los más íntimos pensamientos y sensaciones.

En esta fase es importante no dejarse arrastrar por las emociones, que son algo pasajero, y que van cambiando a medida que corre el calendario. Hay que dejar que el río de las emociones siga su curso.

Vivir el día a día y ser paciente con uno mismo (soportarse), permitirse tiempo, acogerse a sí mismo, ser hospitalario, como cuando estamos enfermos y necesitamos ser cuidados con cariño.

Es una etapa profunda, en la cual descendemos a la esencia de lo que somos, en la que nuestros cimientos son sacudidos y donde tenemos la sensación de diluirnos en la nada y en el absurdo.

"¿Cómo estás?", suelo preguntar en la consulta en los casos de duelo:
"Me levanto, me ducho, como y vuelvo a dormir;
pero mi vida no parece tener ningún sentido. Sobrevivo más que vivo".
"Me siento como un barco que navega a la deriva. No sé a dónde me dirijo, ni a dónde llegaré".
"No me puedo imaginar el mundo sin él/ella".

Muchas veces, en esta fase, la persona se aferra a los recuerdos, en un intento desesperado de seguir reteniendo a la persona, mirando fotografías o videos, leyendo cartas o recordando conversaciones.

En es esta fase, el inconsciente suele proporcionar información acerca de nuestros progresos en el proceso de duelo. Pasamos por una serie de etapas, que son como partes de un todo, donde cabe soñar que se vuelve a estar junto a la persona amada, y donde también hacen su aparición pesadillas, obligándonos a ver la realidad desde una dimensión distinta, para, por último, llegar a los sueños definitivos en los que se produce la despedida definitiva.

d. Perspectiva de futuro

Llega un momento en estos casos en el que parece que el duelo ha terminado, que se ha sobrevivido a esa turbación atroz que nos arrastraba. Los recuerdos ya no son tan seguidos, hay una disminución de la angustia y una sensación de profunda de paz. Todo lo cual no viene sino a propiciar el distanciamiento emocional y hasta una cierta dulzura.

Observamos que la cicatriz sigue ahí, pero la herida ya no supura. Y eso hará que podamos seguir amando en la distancia.

Entendemos que ninguna muerte puede poner fin a un gran amor, pero que, al mismo tiempo, optamos voluntariamente por no vivir en el ayer, sino en el presente, y a saber esperar el mañana. Comprobamos, para asombro nuestro, que se puede seguir viviendo, y ello aun por muy grande que haya sido la pérdida y el dolor.

El dolor nos había hecho levantar muros a nuestro alrededor que nos hacían inaccesibles; nos protegíamos de más tragedias y sufrimientos. Pero ahora nos sentimos con energía incluso para trabar nuevas amistades y asumir pequeños riesgos.

Una vez terminado el proceso de duelo en su totalidad, nos vemos libres para seguir adelante en nuestra forma de vida individual, e incluso nos sentimos capaces de rehacer nuestra vida en pareja con otra persona.

Se recupera la ilusión de volver a amar sin sentirse infiel a la persona fallecida. Volver a amar no implica sustituir a la persona amada, sino aceptar la complejidad de la vida y complementar con una segunda persona aquel amor que se conoció la primera vez.

Probablemente, el sentimiento que va a predominar en esta etapa del duelo sea el de la ambivalencia respecto a casarse de nuevo.

Por una parte, se ha logrado cierta autonomía y comodidad, y no hay deseo de volver a contraer obligaciones domésticas o parentales. Por otra, siempre se busca y se desea la intimidad que se ha perdido.

Quizá haya diferencias entre el hombre y la mujer al afrontar la viudez. Digo esto con reservas, porque siempre hay excepciones, pero en general la mujer se encuentra mejor preparada para hacer frente a la muerte del cónyuge que el hombre. Su contacto con el dolor es más realista y tiene una mayor capacidad para organizar la familia que queda y su propia vida.

Lo que motivará rehacer la vida, va a ser sobre todo, la soledad, el vacío experimentado, y el deseo de intimidad. Hay que tener cuidado con las "falsas motivaciones" que existen en segundas nupcias. Por supuesto, sólo cuando se ha finalizado el proceso de duelo, se estará capacitado para decidir con mayor libertad sobre el futuro.

Hay que tener claro que nada ni nadie puede sustituir a la persona fallecida. Y tampoco suele ser una buena motivación querer tan sólo encontrar "padre o madre" para nuestros hijos.

Por último, si todo ha discurrido por los cauces debidos, se logrará entender que no sólo el amor forma parte de la vida, sino también las pérdidas. Integrar estas pérdidas en nuestra existencia genera un crecimiento y nos hace personas más maduras. Además, existencialmente hablando, la muerte de las personas queridas nos acerca de forma serena a la aceptación de nuestra propia finitud y cambia la perspectiva de la vida para poderla vivir con mayor intensidad.

Así pues, centrados no tanto en la tragedia, sino en la gratitud por todo lo que pudimos experimentar con la vida de la persona amada, llegamos a exclamar:

"Me alegro de que aparecieras en mi vida,
aunque fuera por un breve período de tiempo...
Gracias por brillar en mi vida y llenarla de alegría.
Gracias por amarme y aceptar mi amor.
Gracias por los recuerdos que siempre conservaré". [6]

---

6 Sparks, N. *"El Mensaje"*, pág. 350-351.

CAPÍTULO 14

El matrimonio reconstruido: riesgo y oportunidad

"Entonce,s Dios le abrió los ojos, y vio una fuente de agua;
y fue y llenó el odre de agua...".

Génesis 21:19

"Hay individuos que no aprenden de sus experiencias
anteriores...
Se vuelven a casar con el mismo tipo de personas, en
un esfuerzo inconsciente de solucionar sus conflictos
neuróticos".[1]

Con aquellas personas que están en proceso de divorcio, acostumbro a leer, en algún momento de la terapia, el antiguo relato de Agar. Después de tantos años, sigue teniendo una fuerza tremenda. Es una historia dramática, de una mujer repudiada por su marido, que cree que acabará sus días y su existencia en el desierto. En medio de estas duras circunstancias de hambre, sed y soledad, Dios abre sus ojos para que vea los recursos que hay a su alcance y pueda seguir su camino.

Considero altamente terapéutico atesorar la esperanza de rehacer la vida en todos los aspectos posibles, después de una gran pérdida.

El contrapunto que deseo ofrecer en este capítulo es que la persona no sólo debe tener esperanza, sino mucha sabiduría, para saber lo que deja atrás, por qué lo ha dejado y cuánto le va a costar rediseñar una nueva familia.

Resulta estremecedor observar que la proporción de rupturas en segundas nupcias es aún mayor que en las primeras. El daño emocional resulta devastador para toda la familia, ya que significa revivir de nuevo el dolor propio de una nueva pérdida.

Los terapeutas familiares Emily y John Visher, que fueron de de los primeros psicólogos especializados en matrimonios reconstruidos (M.R.),

---

1 Nichols, W.C. *"Marital Therapy"* (An Integrative Approach). The Guilford Press. New York, 1988, p. 247.

definen a una familia reconstruida (F.R.) como: *"Aquella casa en que hay una pareja adulta, al menos con un hijo de una relación previa".*[2]

Como relación previa se entendería: personas divorciadas, personas viudas, personas que aunque no hayan estado legalmente casadas, hayan mantenido una relación significativa, y madres solteras. A mi entender, afectará de forma cualitativamente distinta la circunstancia previa, sea ésta viudez, divorcio, o familia monoparental.

Las personas que deciden rehacer su vida de pareja, aportan al nuevo matrimonio no sólo su cultura y experiencia de convivencia, sino que además es posible que también aporten hijos, que residirán de forma habitual con el nuevo matrimonio (en el caso de la viudez o las familias monoparentales) o bien en períodos de tiempo establecidos (en el caso del divorcio con custodia compartida: fines de semana alternos y vacaciones). Si no hay hijos previos a la relación, hablaremos de matrimonio reconstruido (M.R.) y no de familia reconstruida (F.R.).

Lo que empezó siendo *"una forma alternativa"* a la familia tradicional (primeras nupcias), se está convirtiendo en muchos países en un tipo de familia habitual en términos estadísticos. Hay diversos factores psicosociales que permiten que este tipo de relación se dé estadísticamente cada vez con mayor frecuencia:

• El aumento de la ruptura conyugal.

• La modificación de la legislación al respecto.

• La flexibilización de principios religiosos.

• Las uniones con personas de otros países, debido a los grandes movimientos migratorios.

• El alargamiento de la vida, que permite rehacer la relación de pareja.

---

2 Visher, E. B. & Visher, J S. *"Old Loyalties, New Ties"* (Therapeutic Strategies with Stepfamilies). Brunner/Mazel Publishers. New York, 1988.

Evidentemente, el carácter y la complejidad del M.R. vendrán marcados por el momento del ciclo vital en que se dé. No será la misma la situación de un matrimonio joven (con ausencia de hijos), que uno en el ciclo medio (donde haya hijos adolescentes), o un matrimonio adulto, en el que haya incluso nietos.

La pareja acudió a la terapia, como suele ser el caso con las F.R., con mucha necesidad de ayuda y con mucho estrés:

"Somos un matrimonio con pocos años de casados, pero ambos tenemos hijos adolescentes de nuestras relaciones anteriores...
Nos casamos después de seis meses de noviazgo...
Tenemos problemas de orden doméstico (armarios desordenados, limpieza de la casa, gasto exagerado en teléfono y electricidad, acuerdo sobre horarios...).
Todo recae sobre mí –dice la esposa- *y me siento la criada de toda la familia.*
Mi marido constantemente está encima de mi hijo; le chilla y le echa broncas, y sus hijas, no me respetan en absoluto, ni tampoco colaboran en las faenas de casa.
Ha llegado un momento en que tendré que elegir entre mi hijo o mi marido. No quiero perder a mi hijo, que es lo que más quiero en esta vida..."

"Riesgo y oportunidad" son los adjetivos que suelen acompañar al M.R.

El aspecto claramente positivo viene dado porque esta relación permite poder seguir gozando del matrimonio, vivir en intimidad, dejar la soledad, etc. También constituye una excelente oportunidad para que muchos niños lleguen a disfrutar de nuevo de un sistema familiar donde están presentes personas que, sin ser padres/madres biológicos, realizarán funciones parentales. Así recibirán afecto, apoyo y podrán integrar un modelo de paternidad/maternidad, que, de otra, forma estaría ausente.

El aspecto más delicado, es la gran complejidad de estas relaciones. Supone, en términos de edificación, volver a construir una casa sin poder remover los fundamentos previos.

Es mi convicción profesional que todo M.R. necesitaría invertir en terapia antes del matrimonio y probablemente durante los primeros años. Esta complejidad hace que el M.R. entre en dinámicas de fuerte tensión, donde a veces los hijos consciente o inconscientemente, "dinamitan" al matrimonio, haciéndolo saltar en pedazos.

A mi entender, el tema clave en el M.R. es que se dé una auténtica *"integración"* de las dos culturas previas, lo cual no consiste en una mera "absorción o asimilación" por una parte, y de una renuncia por la otra. Tristemente, esto último es lo que vengo observando a menudo. Casarse de nuevo implica con frecuencia, por parte de uno de los cónyuges, renunciar y romper con todo lo que había constituido su mundo previo, lo cual me parece disfuncional e injusto.

Aunque deliberadamente, y tal como hice constar en la introducción del libro, me propuse no hablar de los hijos, aquí sí que me resulta imprescindible citar su papel preponderante en esta unión.

Algunos principios que servían para el matrimonio en primeras nupcias, ahora se han de revisar e, incluso, en algunos aspectos, modificar.

En primeras nupcias, la pareja es y debe ser primero que los hijos, a la hora de establecer prioridades. Además, es más fácil conseguirlo, porque cronológicamente la pareja como tal existe antes que los hijos.

En cambio, en el M.R., los hijos existen de forma previa a la relación de pareja, lo cual plantea ciertas dificultades.

Describo, a continuación, toda una serie de conductas habituales, que, de no confrontarse con sabiduría y tacto, pueden hacer que se incremente la tensión familiar:

- En las familias en las que ha quedado uno solo de los cónyuges al cargo de la familia, es normal que los límites madre/padre-hijos estén muy difuminados. No suele haber un sentido jerárquico en esa familia, sino que se establece una relación casi de colegas. Hay poca privacidad en los espacios físicos, mucha interacción en la comunicación, e incluso en la toma de decisiones.

Cuando entra una persona nueva en la familia, toda esa relación queda alterada y han de construirse límites que faciliten la nueva relación. Así, por ejemplo, algo tan obvio como que la habitación de la nueva pareja debe ser respetada, porque ya no es un espacio común, o que el televisor u otros aparatos ya no son de uso privado, sino colectivo.

Hay una imagen interesante de la familia, que es asimilarlo al coche. Los hijos acostumbraban a sentarse junto al conductor. Ahora, con un nuevo miembro en la familia, deberán sentarse atrás.

- Respecto a los hijos, las discusiones típicas en las familias reconstruidas (F. R.) suelen tener que ver con los hábitos de aseo, y de estudio, la hora de llegada a casa, el uso de tecnología y el gasto en calefacción, móviles o consumo eléctrico. En realidad, son luchas por ver quién va en realidad a mandar en la casa. Luchas que, lamentablemente, pueden llevar a un enfrentamiento continuo en la pareja hasta el punto de desgastarles.

- Se ha alterado la complicidad existente antes con el padre/madre. Obviamente, la relación ha cambiado, y mucho. Tanto padres como hijos han de aprender a "rehacer su relación" de forma diferente, sin por ello volver al patrón anterior ni llegar a una desconexión que a todos perjudicaría.

Por parte de los hijos, el proceso no está exento de celos, envidia e incluso inseguridad por la pérdida parcial del padre/madre.

Por parte de los padres, suele darse un sentimiento de culpa y un cierto temor –a menudo, inconsciente- de perder a los hijos.

Tareas básicas en el matrimonio reconstruido

- **Se hace imprescindible una buena elaboración de las "pérdidas anteriores"**

  Antes de formar un M.R., se debe tener la seguridad de que se ha superado en la debida forma el correspondiente proceso de duelo por la relación anterior.

  La persona viuda habrá dejado ya de pensar en el cónyuge perdido en términos poco realistas. La nueva persona no significa una sustitución, ni un repuesto de cara a las nuevas funciones familiares.

  Si se trata, por el contrario, de una persona divorciada habrá resuelto ya su dolor y habrá recuperado su autoestima. También habrá asumido "su parte" en el divorcio. Si todavía queda ira, dolor o resentimiento al hablar del matrimonio anterior, significará que "el vínculo aún existe".

  La persona soltera es plenamente consciente de que entrar en un M.R. recortará su autonomía y libertad, pero, a cambio, obtendrá todos los beneficios propios del vivir en intimidad.

  Por parte de los hijos, y por razón de las pérdidas experimentadas, tendrán que vencer su reticencia a establecer contacto de forma abierta, y a desmontar los mecanismos de defensa que les habían permitido sobrevivir hasta entonces.

  Es arriesgado generalizar, pero, frente a la posibilidad de formar un M.R., el hombre suele experimentar cierto "temor al compromiso". Es bueno que la mujer no presione y que de forma madura, ambos asuman cuál es el mejor momento para hacerlo.

- **Dejar pasar el debido tiempo entre las distintas relaciones**

  Es algo en lo que he insistido a lo largo del presente libro. En términos de relaciones personales, no se cumple aquello de que *"un clavo quita otro clavo".* Al revés, el no respetar el tiempo preceptivo siempre acaba en tragedia y más dolor.

Inmediatamente después de la ruptura, ni la pareja ni los hijos estarán preparados psicológicamente para aceptar a otra persona en casa. Antes de nada, habrá primero que lograr un equilibrio personal para poder después transmitirlo a la familia. Será, pues, entonces, y no antes, cuando se pueda dar el paso de introducir nuevas personas en esa relación familiar.

Una vez más, y tal como se ha venido insistiendo, hay que respetar ese mínimo de dos años previos antes de iniciar una nueva relación.

- **Introducción progresiva de la nueva pareja**
A fin de no generar falsas expectativas, frustraciones innecesarias, ni suscitar reacciones defensivas, resulta imprescindible realizar una introducción progresiva y gradual de la nueva persona.

Los hijos nunca han de decidir aquello que resulte más conveniente para sus padres. Pero establecer una línea de diálogo franco –en función de la edad- y ser en todo momento un modelo de integridad, allanará muchas aristas en la relación.

Los hijos, sobre todo si son menores, suelen estar contentos ante la posibilidad de que el padre/madre rehaga su vida. Más complicado resulta si son adolescentes, ya que estarán luchando con su propia crisis de identidad y ésta vendría a ser una crisis añadida. Cuando son pequeños, valoran la protección y el cuidado que ofrece la nueva persona, mientras que, de adolescentes, cuenta más el deseo de autonomía y la nueva persona aparece como un freno a ese deseo.

Con todo, y tal como ya se hizo notar en su momento, suele darse casi siempre "una luna de miel", a la cual sigue "una luna con cierta hiel". Así que no debemos fiarnos demasiado las primeras reacciones, sean éstas cuales sean, y estar siempre al quite de posibles problemas.

- **Tener un cortejo o noviazgo realista**
  Obligada llamada de atención, pues no se trata de dos personas "solteras", sino dos personas con una historia previa, que necesita ser debidamente asimilada.

  El objetivo del noviazgo es que, más allá de la ilusión y atracción mutua, se comprenda que se está entrando en una relación de familia muy compleja, donde antiguas pérdidas y nuevas lealtades han de ir cocinándose "a fuego lento" y con mucha paciencia.

- **Flexibilizar las relaciones personales**
  La flexibilidad es la característica contraria a la rigidez. Ser flexible significa tener "capacidad de acomodarse sin romperse". Consiste en tener la debida disposición para escuchar, dialogar, reflexionar, entender e incluso cambiar, al mismo tiempo que se sigue siendo fiel a los principios o valores esenciales.

  En cambio, rigidez significa "presentar resistencia ante las fuerzas que producen presión". Obviamente, respecto a las relaciones personales, la persona rígida generará múltiples conflictos y tensiones. En cambio, con personas flexibles, se avanzará hacia un mejor entendimiento mutuo.

  Aprender a edificar un matrimonio, sin ser padre/madre de unos menores que ya conviven en la casa, y sin descuidar a los hijos propios, si los hubiera de relaciones anteriores, es trabajo de "un constructor que tenga un buen sentido del equilibrio".

  Fue bella y al mismo tiempo dramática la descripción que alguien hizo de la situación en que se hallaba su familia reconstruida:

  "Me siento caminando sobre un puente lleno de grietas.
  Y siento mucho miedo de que se resquebraje del todo y me hunda con él".

  También se requiere flexibilidad, y paciencia, para entender que se está ante un proceso que no sólo es complejo, sino que también es lento. Los teóricos del matrimonio reconstruido cifran en un mínimo de dos años el tiempo de adaptación, aunque en mi experiencia profesional con familias, elevo el tiempo a seis o siete años.

- **Clarificar cuestiones legales y económicas**
Aunque todo esto suene muy frío, siempre se ha de intentar proteger de una forma justa a todos los miembros que componen la familia: los provenientes de vínculos anteriores y los presentes.

Antes de iniciar una familia reconstruida ha de estar claramente escriturado qué le pertenece a cada persona, y ello de forma tal que el dinero o el patrimonio no sean nunca usados como una forma de presión o manipulación.

En términos generales, se ha de diferenciar los beneficios anteriores –que corresponden al primer vínculo familiar- de los beneficios presentes.

Principales ejes sobre los que debe proyectarse el M.R.

Lo peor, en el tema del M.R., es iniciarlo de forma ingenua y con expectativas poco realistas.

Una actitud poco realista sería, por ejemplo, pensar que las F.R. son iguales que las biológicas, que el ajuste será rápido, que lo importante es tener buenas intenciones y amor; cuando, en realidad, el amor reconstruido conlleva un largo aprendizaje. Asimismo, también sería altamente negativo atribuir todos los problemas que surjan al hecho de ser un matrimonio reconstruido o una familia reconstruida.

Como hemos venido examinando a lo largo de este libro, todos los matrimonios tienen problemas de ajuste, todos los hijos pasan momentos difíciles, en todas las familias hay "triángulos" afectivos, etc. En estos casos, y sin grandes diferencias con la experiencia primera, se trata realmente de hacer prevalecer el amor como una fuerza integradora capaz de luchar, y vencer, ante todas las posibles adversidades que se vayan presentando.

- **Proporcionar un fundamento sólido al nuevo matrimonio**
  Suelo decir con una cierta ironía, pero con mucho realismo, que "el matrimonio unido, jamás será vencido".

El nuevo matrimonio debe resistir la tentación de caer en "los triángulos" que los hijos provocan constantemente. Además, se debe aprovechar cualquier tensión para fortalecer el vínculo de pareja, presentando un frente común ante la actitud hostil de los hijos, tal como bien ilustra el esquema (ver fig. 17).

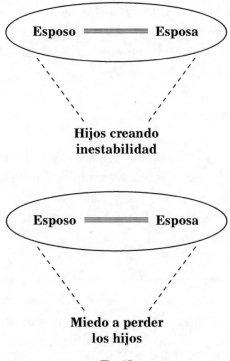

Fig. 17

A menudo, la pareja queda tan involucrada en tareas parentales, que las actividades realizadas en exclusiva como pareja desaparecen de la agenda personal. Pero lo cierto es que la falta de ganas o de energía para cuidar de su relación puede acabar pasando una factura.

También se han de trabajar los sentimientos de culpa y de traición hacia los hijos por parte de los padres, suscitados por el hecho de dedicar un tiempo a la pareja que parece estar negándoseles a los hijos. Dentro de una distribución razonable de tiempo y dedicación respectiva, tal conflicto no debe tener razón de ser.

Tal como se ha hecho constar anteriormente, el que la relación con los hijos sea previa en el tiempo no significa que tenga que ser más importante; sencillamente, será diferente. Cuando hay conflictos, los hijos pretenderán que se tome partido o que se entre en una lucha de poder. Eso no levará nunca a ningún buen resultado y es, en consecuencia, algo a evitar a toda costa.

- **Ser estratégicos en la distribución de funciones**
  Hay un principio por excelencia, al tratar con familias reconstruidas. La persona que no tenga vínculos biológicos no tiene por qué ejercer de padre o madre y, si lo hace, se expone a oír un *"Tú no eres mi padre/madre"*, frase que no por conocida deja de ser lapidaria.

Si hay conflictos, medidas de disciplina o tensiones, éstas se han de resolver con el padre/madre biológico. Otra cosa es dialogar con la pareja y aportar puntos de vista que mejoren la reflexión o ayuden a recuperar la objetividad. Eso siempre será necesario y enriquecedor.

Dicho así, parece muy fácil y hasta lógico. El único problema es que las relaciones familiares son en buena parte emocionales y, cuando alguien ve a su pareja destrozada por la actitud inmadura o provocadora del hijo, resulta muy difícil inhibirse y no lanzarse al ruedo.

Con el tiempo, cuando la relación esté suficiente consolidada, aun sin ser el progenitor biológico, se podrá ejercer probablemente de "padre en funciones", pero nunca durante los primeros años.

- **Crear "una nueva cultura familiar"**

El nuevo matrimonio y la nueva familia carecen de historia y de pasado. Por lo tanto, se debe saber realizar actividades y "ritos familiares" que ayuden a crear una identidad, un sentido de pertenencia y un entorno familiar propio conseguido a base de situaciones y experiencias vividas en común y como verdaderamente propias.

A ese respecto, será vital compartir unos principios, y una visión de la vida, que estén por encima de nuestras personalidades, ya que esos principios nos ayudarán a suavizar las tensiones que vayan surgiendo.

También será importante realizar determinadas actividades de forma conjunta como familia: comidas, compras, limpieza, ocio, vacaciones. El objetivo será desarrollar un fuerte sentido de identidad común.

Se debe trabajar no sólo en hacer sólida la relación de pareja, sino también la relación entre sí de los distintos miembros integrantes de esa nueva familia. Tarea que comportará desde mejorar la mutua aceptación mutua hasta encontrar formas de relación eficaces, desarrollándose así una confianza mutua.

El objetivo final para toda familia reconstruida es pasar de un grupo familiar que estaba basado en *"lealtades biológicas"*, pero que, por las razones que fueran, se desmanteló, a crear un nuevo núcleo cimentado ahora en *"lealtades emocionales y existenciales profundas"*.

Se tendrá que haber pasado de la desconfianza, y la fragilidad inicial, a la aceptación, la solidez y la consecución de una identidad familiar propia.

Epílogo

Suele decirse que *"Cada matrimonio es un mundo"*, y eso es algo muy cierto. En el transcurso de los años, me he esforzado por explorar, analizar, entender, y sistematizar una realidad denominada matrimonio que, sin embargo, dada su riqueza de matices, elude toda generalización.

Veo el matrimonio como una comunidad de dos personas que siempre es, y va a seguir siendo, enigmática, preciosa y capaz de deslumbrar con su magnetismo y belleza a quien desee penetrar en su dinámica.

La inmensa mayoría de conflictos, problemas y crisis que los matrimonios van a afrontar a lo largo de su existencia tienen solución. Y esto lo afirmo rotundo y con conocimiento de causa. Y si bien puede suceder que no siempre se resuelvan del todo, el hecho en sí de haber luchado por conseguirlo seguro que hará que las personas afectadas vivan con más dignidad, con menos tensión y, en definitiva, mucho mejor.

Lo peor de todo es no hacer nada. En mi experiencia, por poco que se haga, siempre se consigue algún resultado positivo. De lo contrario, sólo queda instalarse en el victimismo, en la autocompasión o en la frustración y en la tensión que esto produce; pero terminará explotando por algún lugar, ya sea en forma de tensión interpersonal, aumentando la degradación del matrimonio, o bien como un trastorno a nivel personal interno, creando trastornos psicológicos e, incluso, orgánicos.

Poder decir en esta vida *"al menos luché hasta el final o hasta que ya no pude atravesar el muro que tenía delante"* es ya muchísimo.

La resolución de las crisis, en buena parte, va a depender de varios factores:

- De la naturaleza del problema.

- De la voluntad de resolución y determinación del propio matrimonio.

- De los recursos con que el matrimonio cuente: personales, emocionales, sociales. Y, por supuesto, de la solidez de sus valores espirituales, y del modo en que se integren en su relación.

- Del momento en que se empiece a afrontar el tema, ya que esto marcará su temporalidad o cronicidad. Cuanto más tiempo transcurra, mayor desgaste, dolor, frustración y desesperanza habrá.

- De la ayuda que se busque, ya se trate de amigos, consejeros o psicólogos…

Me he dado cuenta en estos años que pensar y plantear los temas de forma sistemática, en lugar de la visión individualista de la psicología, comporta grandes beneficios, tanto para el propio matrimonio como para el terapeuta. Supone importantes cambios en las intervenciones terapéuticas, haciéndolas más estratégicas y eficaces.

No podremos nunca entender un problema conyugal sin escuchar a ambos cónyuges. Además, eso es lo justo. Cuántas veces, escuchando por separado, he tenido la sensación de que me hablaban de *"matrimonios diferentes"*. En realidad, cada uno de ellos interpretaba la situación según su perspectiva le permitía verla. Esto no implica que los dos sean responsables por la situación creada, pero sí lo son de mantener la situación.

Propongo que en el futuro elaboremos más a fondo algunos conceptos, en los que actualmente hay implícito un marcado individualismo:

*   El concepto de la *"co-realización"* (realización de la pareja) en contraste a la *"auto-realización"*.

*   También el concepto de la *"co-estima"* (estima en ambas personas) más que la *"autoestima"*.

Son conceptos que nos ayudarán a conjugar individualidad e intimidad sin que ninguna resulte exclusiva o sin que el hecho de potenciar una de ellas vaya en detrimento de la otra.

Tampoco se debe olvidar el *"co-sacrificio"*, que es esa capacidad de sufrir con y por la persona amada. Por sacrificio entiendo procurar el bien de la persona que amo e intentar su desarrollo pleno.

La visión más positiva trabajando con matrimonios es la de ver cómo esta relación que establecemos entre matrimonio y terapeuta es fuente de sanidad para tantas heridas que a veces arrastramos del pasado, y cómo el matrimonio es la matriz de sanidad, no sólo para nosotros, sino para los hijos que vendrán y las personas que nos rodean.

Finalmente, dejar en el lector, un sentido profundo de admiración hacia esta institución llamada matrimonio, la cual refleja mucho de la esencia de su Creador: mutualidad, diversidad, profundidad, belleza y misterio.

Es cierto que el matrimonio puede reflejar lo peor que hay en nosotros: violencia en todas sus variantes, infidelidad, egoísmo, etc., pero esto no debe eclipsar la mucha ternura, amor entrañable, pasión por amar y querer el bien de la otra persona, que he observado a lo largo de estos años.

" *Quan els meus ulls s'acluquin*
davant la fosca nit,
vull esperar amb certesa
que els tornis a il.luminar
amb ta infinita dolcesa". (*)

(*) "Cuando mis ojos se cierren
ante la noche oscura,
quiero esperar con certeza
que los vuelvas a iluminar
con tu infinita dulzura".